美術と私たちの近・現代

吉村　良夫

美術と私たちの近・現代　　目次

表紙カバーの写真は「フランスにおける日本年」(1997)の行事として南仏のモンドマルサン市が開いた「日本の現代彫刻展」で、古びた中世建築の土壁に、海老塚耕一が現地の巨木を刻んで取り付けた粗削りの木球(きだま)たちの列。

第一章　見わたして考える

自殺をやめる気にならせた絵

死にたい、と思って家を出た。温泉で知られた熱海の歓楽街。住み込みで雇われていた。男たち相手の日々が嫌になって、ふらりと電車に乗ってしまった。

(どこで降りて死のうか)。そう思い続け、下ばかり向いていた。疲れて顔を上げたら、一枚のポスターが目に入った。女の全身像。裸に近い姿だが、それよりも顔が、とくに目が気にかかった。なぜだか懐かしい。ずうっと見ていたい。

ポスターには、東京の国立近代美術館で「村上華岳展」を開催中とあった。電車はどこへとも考えずに乗ったのだが、ちょうど東京行きだった。

(死ぬのは、この絵の本物を見てからにしようか)。

美術館に入ったのは昼過ぎ。目当ての絵は「裸婦図」という題が付いていた。なぜ、ほとんど裸なのか。その場所は森の中なのか、人家の近くなのか、分からない。画家の名前は村上華岳となっているが、聞いたこともない。自分は展覧会なんかと関係ない世界で、いままで生きてきた。それなのに、どうして、この絵が懐かしいのか。他の絵はどうでもいい。これだけを見ていたい。

（母さんは、こんな美人じゃなかった。でもこの目、この口、死んだ母さんにそっくりだ。まるで生きているみたい。長いこと忘れていたけど、母さんが、今もどこかで、私を見てくれているのだろうか。絵の向こうにはもしかしたら、母さんがいるのかも知れない）。

何時間たったのか、まだ見ていたかったのに「閉館です」と言われた。守衛さんが、静かに送り出してくれた。夕暮れの街を歩きながら、ふと気が付いた。死にたいと思っていた気持ちが、あの絵を見ていた間に変わってしまった。この命を粗末

9　村上華岳《裸婦図》【重要文化財】1920(大正9)年　絹本・彩色　山種美術館

にしたら、母さんに申し訳ないよね。

以上は日本が敗戦のどん底から立ち直ったころ、東京国立近代美術館で「村上華岳展」を担当した当時の学芸員、河北倫明さんのところへ見知らぬ女性から届いた長い長い礼状を、短く書き直した話だ。その後、京都国立近代美術館の館長になった河北さんから、美術記者だった私は直接聞いた。

村上華岳は一八八八年（明治二一年）生まれ。京都市立絵画専門学校で日本画を学び、卒業制作は一九一一年の文展（現在の日展）で褒状を受けた。しかし、その後の文展では入選と落選を繰り返す。「絵と何か」「人間とは何か」を深く問い続ける華岳の画風が、美の判断を権威と結び付けがちな文展の体質と合わないのだった。一八年に、学校で同窓だった土田麦僊、榊原紫峰、小野竹喬らと「国画創作協会（国展）」を結成し、自分が信ずる美の追求だけに没頭することへ、きっぱりと踏み切った。

「裸婦図」は二〇年の作品。胸乳の豊かな女体だが、透けて見える薄もので両肩からほぼ足の先まで覆われている。それよりも、色を抑えた画面の中でいちばん濃く描かれた黒髪に目を引かれると、ほとんど同時にその下のふくよかな顔から、また眼差しから、口元から、静かな問いかけが伝わってくる。声にはならないその響きに、なまめかしさは無い。懐かしさと、悲しみを超えてきた厳しさの果ての、温かみがこもっている。

この絵を描いたころ華岳は、さまざまな自問自答を続けていた。日本画に打ち込みながら、古い仏画を研究し、イタリア・ルネサンスの宗教画までも自分の感覚で吟味せずには収まらなかった。その跡は後年一冊にまとめられた「畫論」から、次のような言葉で辿ることができる。

「アンゼリコは美しく清らかだ。この世のものでない美しさ清らかさに於いて我々をこの世を超えた清らかな特殊の世界に誘ふであらう。しかしそこは何だかあり得ない空虚な気持がするであらう。ピッタリと、かの畫から現実に刺激されない。或るものがあり交渉するところがうすい感がないではない。それに比するとジョットの方が人間といふ立場を失っては居ない、苦しみがあると思ふ」

「私の『裸婦』は単に一人の女を描かうとしたものではなくて、その腕にも、その髪にも、或は頬や乳房に、山川草木の美しさ、自然の凡てのものから受ける喜びを表現しやうとしたのでした。その出来栄えの好悪は兎も角も、私としてはそこを目指して進んだのです。それで私は今後もあの『裸婦』の続きを製作してゆきたいと思っています」

華岳は幼いころに一家が離散し、親戚の養子になっていた。病弱だったが、幸いにも養父が財産を残してくれたおかげで、「畫でもって衣食の料に替へやうとは考へずに」描くことができた。当時は京都画壇が盛んな頃で、国展の画家たちは人気が高く注文も多かったが、「畫作は密室の祈り」と華岳は念じ続け、注文にせかされる絵を嫌いぬいた。

晩年は京都から離れて、神戸に落ちついた。「山水図でも花鳥図でも、私の心持がそれを作ってくれさへしたら、いつでも、随意に製作する。それが自然、仏畫を多く作ることになるのは、私の心持が仏畫を多く作ってくれるからであるといふ外はない」「作品といふものは、心から自然と生れ落ちるものだ」と、独自の信仰世界に深入りしながら、孤高の暮らしを続けた。

一九三九年に、華岳は五一歳で亡くなった。二年後に始まった太平洋戦争は知らずに済んだが、病弱でなければ、もっと長く生きていても不思議ではない。おぞましい戦中、戦後の世相変転に、もしも巻き込まれていたならば、その「心持」はどんな製作に向かって行っただろう。見知らぬ女性に自殺を思いとどまらせた「裸婦図」の続きは、どんな表現になっていただろうか。

（文芸誌「ぜぴゅろす」二〇一二年春・第八号）

普通の人々と美術館の間に

美術が好きだという人々には、いろんなタイプがある。六〇歳を過ぎてから「画家になった」知人の場合、とことん好きになった部類だろう。子供のころ絵描きになりたいと思ったが、家の貧しさで諦めサラリーマンになった。その夢を定年後に復活し、「百まで描くぞ」と言っていたそうだ。実際はそれより三〇年ほど早く病気に倒れたのが、ことしの一月である。三度目の個展が遺作展になってしまった。

いつも東京で開かれた個展を、大阪住まいの私は見に行ったことがない。ただしカラー印刷の案内状で見た限り、作品は、カメラなら一瞬で撮れる風景を自分の筆で熱心に、その人柄が分かるほど誠実に再現した油絵だった。非常に負けず嫌いであり上昇志向が強い人だったため、画面の見せ場を考えた構図と色彩には、その気性も現れていた。

誠実で負けず嫌いで、上昇志向が強い。こういう人柄は、日本人の間で珍しくない。日本が、世界史上の奇跡とも言われるほど成功した明治維新後の近代化、また徹底的に打ちのめされた第二次大戦後の復活と大国化は、そういう人々が必死になって働いたからこそ実現できたのだ。

欧米の資本主義文明は、ひたすら働くことが神の心にかなうと信じたキリスト教のプロテスタント精神によって、大きく発達した。また労働の神聖化に加えて、世界の全てを神の教えに従わせようとするキリスト教本来の布教精神が、資本主義文明を地球上の大半に行き渡らせた。そんな欧米人でさえ、一時は脅威を感じたほど、明治以後の日本人はガムシャラに働いた。その動機にプロテスタントのような信仰があったわけではない。しかし欧米の植民地にされてたまるかという負けず嫌いの精神が、日本人全体を激しく駆り立てたのだった。

日本が欧米の文明に「追いつき追い越せ」と、時には我を見失うほど熱中した結果、社会の仕組みから暮らしの隅々にまで、欧米化は急速に進んだ。美術の好みも、その例外ではない。普通の日本人にすれば、理屈はどうであれ一つの嗜みとして欧米人の美意識に馴染むことも、上昇志向と結びついていたのではなかっただろうか。

定年後の生きがいを「百まで描くぞ」と決めていた知人の場合、そんな日本人のいい見本であったように思われてならない。この「画家」にとっては、ゴッホが一つの頂点であった。すでに神話化されていた悲劇的人間像と、美術市場の中で増幅され続けたゴッホ賛美に自分も一体化しながら描くとき、彼は無上の生きがいを感じていたようだ。残された随筆に「終焉の地であるオーヴェル・シュル・オワーズを三回訪問した」とある。「一番印象深かったのは（中略）ゴッホとテオの墓に小さな菊の鉢植えを供えた後(中略)教会が見えるオワーズ川の辺りでスケッチした」ことであった。

ゴッホの死後、二〇世紀の間に起こった美術表現の変転は空前であり、絶後とさえ言いたいほど目まぐるしい。それは一面で、科学技術の急激な発達がもたらした繁栄と惨劇を見つめ続け、また予感していた美術の必然だったかも知れない。しかし別の面では、商品開発と市場開拓でライバルに差を付けようとせめぎ合う資本主義の「差別化」志向に、美術も巻き込まれた結果だと言えよう。美術市場の中で他の作家を「差別化」できる独創性の重視は、資本主義文明の成熟に連れて欧米の市民社会に広がった美意識なのだ。その成熟が引き起こした二〇世紀美術の激しい変転を、成熟の時間に欠けた日本は受け止め切れていない。定年後「画家になった」知人をはじめ普通の日本人が好む美術は、歴史上のスター作家たちに大きく偏ったままだ。

この傾向を「アートがわかってない」とか、権威盲従、体制順応とか批判していた人々の勢いは、長引く不況の中で衰えてしまった。新聞やタウン情報誌の美術記事が減り、専門の美術誌がほとんど消えて行き、かつて「前衛」の拠点だった貸し画廊の廃業も、近ごろ珍しくない。現在の日本では、文明全体の流れの中で美術の位置を確かめ直し、その意味を大局的に問い直す作業が避けられないのではないか。

近頃の美術では、どれほど大きな美術館でも財力のある蒐集家でも、買って収蔵することは不可能と思われる作品が目につく。発表現場で制作され、展示期間が終わると解体されてしまう。この現象を社会的に見れば、商品としての美術の在り方、また「作る人」と「見る人」の結びつき方を、さまざまに考えさせられる。そんな作品を世界各地に招かれ発表してきた日本人作家の一人から、フランスの制作現場で会った時に聞いた。「旅芸人のような感じもする仕事です」と。それは普通の人々と美術との接点を、新たに探り直す仕事だった。

（国立国際美術館月報・二〇〇一年六月号）

絵の中の二〇世紀 ―ピカソとロスコ

「二〇世紀で最大の画家は誰だと思うか」。一五年ほど前アメリカへ出張したとき、メトロポリタン美術館で取材が済んだ後に、こう尋ねられた。相手は当時、同館の二〇世紀美術部長だったウィリアム・リーバーマンである。私の方は新聞社でさまざまな分野を経てから、美術担当になって五年余りの中年記者だった。彼は私の取材に答えていた間、初対面の日本人が堅くなり過ぎていると感じたのかも知れない。私にコーヒーをすすめ、気さくな雑談を始めたところで、そんな質問をしてきた。

しばらく迷ってから「私にとってはマーク・ロスコです」と答えたところ、リーバーマンが笑い出した。

「君は、こちらがアメリカ人だから、それに合わせて答えようとするのか」

「いや、そんな気持ちはない。現代美術を私が積極的に見始めたのは一九六〇年代の後半からだが、それ以来いままでに最も深く引き込まれた画家がロスコなのです」

「なるほど。ロスコは確かに素晴らしい。しかし君の選び方は片寄り過ぎている。二〇世紀最大の画家と言えば、誰もが認めるのはパブロ・ピカソだろう」

ああ、やっぱりそうなのかと、こんどは私が苦笑する番になった。「何を根拠にして最大と評価するかが問題です。影響力の大きさならピカソでしょう。もはや伝説的なことですから。しかし、私は全く知らなかったロスコの抽象空間と初めて出会ったときに我を忘れてしまい、よく分からないまま他の画家とは違う共感に包み込まれました。その根拠は、複雑ですがあえて単純化して言えば、重力が失われてしまった空間に自分がいて、漂いかける方向を目でもなく耳でもなく心の奥の感覚器官で探りつつあるかのような沈黙に、在ります。この揺らぎを秘めた不思議な沈黙の空間こそ、私は自分の見た限りにおいて、二〇世紀という時代の絵画を代表していると評価したいのですが」

「君は具象よりも抽象が好きなのか。しかし、美術の長い長い歴史を振り返って見るなら、ほとんどは具象の時代だったのだ。いや抽象が増えてきた現代でも、美術全体の中では具象が主流にある。その具象の頂点にピカソが立っている。そういう視点から、君も今後ピカソだけではなく具象全体を、注意深く見てはどうだろうか」

世界の各地にたっぷりと残されてきた具象美術の遺産を軽視してはいけないと、リーバーマンは言った。アメリカの巨大美術館で古代や中世の部門でなく、二〇世紀部門を統括している責任者か

ら、そんな忠告を受けるとは意外なことだった。当時の私は、アメリカを先頭に目まぐるしく変わり続けた戦後美術の流れを何とか十分に理解し、新しい動向を少しでも先取りしたいと思い込んでいたのだ。そんな強迫観念の中で見れば、すでにピカソは過去の画家だった。いや私が特に強く引かれたロスコでさえ、もはや時流から遠のきかけていた。その強迫観念をリーバーマンは、温かいが少々皮肉もこめた笑いとともに、批判したのかも知れなかった。

　彼のピカソ評価を、私はその

写真＝マーク・ロスコ「ナンバー28」1962

通りに認めることが今でもできない。しかし笑いながら忠告されたことは、消えない記憶となり残っている。

帰国後しばらくして、自分の強迫観念を自分でも笑いたくなることがあった。ニュー・ジャーナリズムの売れっ子、トム・ウルフが書いた『現代美術コテンパン』（晶文社）を読んだためだ。私がイライラさせられた現代美術の変転を相手に、トムもやはり記者として、ニューヨークで同じように悪戦苦闘していた。しかしある朝「ひらめきを体験した」という。その結果は「ありていにいって、昨今は理屈抜きに絵は見れませんよ、ということなのである」。したがって「絵にしろほかの作品にしろ、それらはテクストを解説するために存在するにすぎない」と、決めつけることになった。

激しい身振りのアクション・ペインティングから始まって、平塗りを推し進めたカラー・フィールド・ペインティング、禁欲的な平塗りに反発したネオ・ダダ、大衆的商品を記号化したポップ・アート、視覚を混乱させるオプティカル・アート、大自然の中へ飛び出したアース・ワーク、表現要素を限界までしぼりこんだミニマル・アート、物体から離れ言葉だけになって行ったコンセプチュアル・アート……こうした流行の一つ一つは全く異質な感覚から生じたはずだと私は思うが、トムの目から見れば、いずれも「描かれた言葉」に過ぎなくなってしまった。

もったいぶった理論を有り難がる「美術社交界」の体質を、トムが大衆の立場から批判した跡は面白すぎて、ほんまかいなという感じもする。

　たとえば「計量社会学」にならって「美術社交界」の地図を試したところ「ローマに七五〇人、ミラノに五〇〇人、パリに一七五〇人、ロンドンに一二五〇人、ベルリン、ミュンヘン、デュッセルドルフに二〇〇〇人、ニューヨークに三〇〇〇人、そしてそのほかの世界各地に一〇〇〇人。これが美術界なのだ。八つの都市の美術社交界に限られる推定一万人――ほんのちゃちな村にすぎないのである」と、分かった。新しい美術の流行はこの村で作り出され、新聞はその結果を伝えるだけ、大衆は知らされるだけで、「ニューヨーク・タイムズ」ほどの高級紙でさえ「ひとりの新人美術家も見つけられやしない。その美術家を価値づけし、その評価を維持持続させることなんかできやしない」という。
　この原著が出版された一九七五年当時、それが世界の実情だったというのだが、現代美術のあれほどの変転を左右していたのは、ほんとうにその程度の「村」だったのだろうか。真偽のほどは別としても、このような見方ができることは私にとって、自分を強迫観念から解き放つ役に立った。またトムは、ピカソが「村」で気に入ら

写真＝パブロ・ピカソ「ゲルニカ」1937

れた経過を見逃さず、ピカソ評価の成り立ちにも触れている。

「こうしてみると、もうひとつわかりはじめることがある。つまり、現代美術が第一次大戦後に〝成就〟段階での栄光をほしいままにすることができたのは、それが『ついに理解された』とか、『ようやく真価が通じた』からではなく、むしろ少数の好き者たちが、それに自分らなりの効用を見出したからだ、ということ。（中略）一九二〇年ごろ、社交界では、ファッショナブルとはすなわち現代的・モダーンであること、というふうになっていた。現代美術の新しい精神は、そういう風潮にぴったりだった。そのいい例がピカソである。ピカソが、美術界や新聞雑誌でいわゆる〝ピカソ〟になるのは、四十歳代に入った一九一八年、ロンドンでディアギーレフのロシア・バレエ団のために舞台風景を描いてからだった。ディアギーレフとその一座は、流行の都ロンドンで〝スキャンダルの勝利〟をおさめる。（中略）現代的・モダーンな舞台装置は、すべてこの興奮の一部であって、すっかり社交界のお気に召す」

研究者から見ればトムの論法は強引すぎて、まともに読めないかもしれない。しかし私は、大衆に理解できない言葉を多用する専門家の限界を批判した彼のジャーナリスト感覚に、大きく触発された。さらにトムが触れなかった問題も、考えずにいられなかった。

記者時代の私は古今東西にわたる美術をすべて担当させられており、たとえば茶陶の記事ならば茶陶の研究者や作家に取材してから、書いていた。専門家から聞いた通りに書いて済むならば仕事は楽だが、そのままで一般の読者に通じるとは限らない。馴染まれていない専門用語を安易に使うことは禁物だ。また専門家には重要であっても一般的に興味が持たれないことを書くには、いろんな工夫が要る。その展示を見ることが現在どのように大切であるかを、一般の人々も納得できるように書かなければ、読まれなくなる。もともと美術の記事はスポーツなどに比べれば読む人が少なく、読者全体のうち一割にも満たないだろうと推測されていた。

私が美術記者になってあいさつ回りをしたとき、京都国立博物館で当時の林屋辰三郎館長に言われたことは胸に重くこたえた。「あちこちの展覧会を全部見ることはできない。どれを見たらよいかと考えるとき、私がまず参考にするのは新聞の美術記事です。何を取り上げるときでも、できるだけ分かりやすく書いて下さいよ」。高名な歴史学者の林屋さんからわざわざ念を押すように言われたのは、難解な美術記事がそれほど多かったためだろう。一九七九年のことだ。確かに、私にもよく分からない美術記事が少なくなかった。

それにしても美術の場合、作品にせよ記事にせよ、分りにくいことに値打ちがあり、権威が高まるのだと思い込む人々がいることは事実だ。トムの観察によれば「現代美術の新しい運動、新しいイズムは、そのいずれもが、ほかの連中（〝ブルジョワジー〟と呼んでください）には理解できない新しいものの見方を見つけた、という、美術家たちによる宣言だった。『われわれにはわかるぞ』と文化人たちはいい、そのことによってまた自分らを有象無象とは区別した」のである。私の考えでは、この「区別」こそが、難解さを有り難がる心理のキーワードに違いない。

　グローバルな販路を持つ日本の家電メーカー社員から、「商品の開発競争で勝つためには、何よりも『差別化』が重要だ」と、聞いたことがある。イタリアの大手アパレル企業「ベネトン・グループ」の会長は、毎年二回発行する刺激的カタログが常に大きな話題になることをめぐって、最近こう話した。「挑発的で刺激的な作品に、どんな反響があるだろうかと真剣に心配したこともあります。しかし、製品の売上が爆発的に増えもしませんでしたが、減りもしませんでした。当社が他社と違う哲学を持っていることを示す『差別化』のひとつの方法として続けていこうと思いました」(朝日新聞…二〇〇〇年一月一五日)。いまは、女性や身体障害者などを差別したら人権問題として追及される時代なのだが、商品の売上を争う市場の中では「差別化」が企業存続のカギを握っている。

　トムがいう「区別」は、分からないということに価値をつける。ベネトン会長らがいう「差別化」は、違いを分かってもらうことで売り込む。分かってほしくないか、ほしいかの方向は逆だが、差をつけることで上位に立とうとする心理内容は全く同質ではないか。

　ピカソの場合は、まず美術史の常識を覆すような画風を開拓し、さらに何度か変転した結果、「区別」志向の強い社交界で抜群に歓迎された。次はそれによって高まった名声が一種のブランド・イメージとなり、美術市場で他の作家たちに対し大きな「差別化」に成功した。こうしたことから「今世紀最大」の評価が生じたのだろうと、私は判断する。

また、私やトムを苛立たせた現代美術の目まぐるしい変転については、それを業者間の「差別化」競争と見なせば納得できることが多い。美術作品は、商品とすれば全く前近代的な側面を残しているのだが、資本主義社会の市場で「差別化」を競っていることでは、化粧品や自動車などとも変わらない。ここでいう業者とは、美術商だけに限らない。作家は作品の個性で、研究者や評論家は文筆の独自性で、やはり「差別化」を競っている。その競争に美術商ほどあからさまな金の動きが見えないのは、教育や行政の中に美術を組み込んでいる制度が、作家や研究者らの大半を支えているためだろう。美術に関わって生活を維持している人々全体を、一つの業界と見なすことはできるのだ。味気無い見方だが、現在の美術の混迷、明日の見通しの悪さを直視するためには、これを無意味と言えないだろう。日本の業界ならば最近の十年で小、中学の美術教師が半減したといわれる現象だけでも、このままでいいとは考えられない。病んでいる、という自覚が必要なのではないか。

一九九四年末に、私は新聞社を辞めた。定年より五年前だった。三二年余り勤めたうち、美術を担当した期間は、サブの時期も通算すれば一七年になる。その間、毎日届く美術展の案内状が多い日は六〇通余り、少ない日でも三〇通を下らなかった。心身ともに疲れた。作品をゆっくりと見て、納得の行くまで考えたかった。社を辞めたときしばらく日本人も辞めてみようと決心したのは、まず美術の全体像を見渡したかったため、さらに自分の余命を測りながら、生きてきた時代の総体を確かめたかったためだ。自分が戦前の満州で暮らし、敗戦後に父を亡くしてから引き揚げてくるまでは、一つ間違えば残留孤児になっていたかも知れなかった体験が長く尾を引き、その奥に不条理感が重くわだかまっていた。

退職後パリで三年ほど暮らしたとき、私の住まいはピカソ美術館まで歩いて十分足らずの近くにあった。ほかでもピカソ作品に出会う機会は多く、そのたびに思い出すのがリーバーマンとの対話だった。ピカソの奇才に舌を巻くことはしばしばあり、特にキュービズム時代の肖像画は心に残った。マドリードに行き、戦争告発で名高い「ゲルニカ」を初めて見たときは、せめぎ合うイメージの劇的なことに感心したが、大画面のわりには深みのない表現に疑問が残った。スイスのバーゼルで、公園の木々を梱包したクリスト作品を見たとき、同じ敷地内の美術館でロスコの大作と出会えたことは嬉しかった。その常設展示に一室が当てられ、しかも館内でその部屋だけに瞑想的な音が全く静かに流れていた。その一方、「木」をテーマにして絵や彫刻一二〇点を集めた同館の企画展示には、ピカソが四点あった。特色はよく分かる作品だが全体の中では目立たなかった。条件の違う展示で二人を比較するのは無理としても、ロスコに寄せるこの美術館の評価は格別だった。

二十世紀の抽象絵画を開拓したモンドリアンらが、キュービズム時代のピカソから大きな刺激を受けたことは、広く知られている。描く対象を幾何学的に分析して組み合わせるキュービズム様式を、幾何学的抽象の始まりであるかのように錯覚した人々も少なくなかった。しかしピカソは抽象化の徹底に関心を示さず、やはり具象、とりわけ女性像に執着しながら様式を変転し、生々しい愛憎の跡を残した。その人間臭さが、何よりもピカソの特色だろう。逆にモンドリアンらの抽象は生身の人間や物体を超越し、時間と空間の隔たりも超越した普遍性、または永遠性の探求へと進んだ。その系譜につながるロスコの平面には、モンドリアンらの限界を批判しながら、一層幅広く探求し続けた跡がある。

第二次大戦後、アメリカの抽象表現主義が脚光を浴びた時代にロスコは、ジャクスン・ポロックやバーネット・ニューマンらとともに、国際的な評価を受けた。これはトム・ウルフ流に見れば、ニューヨークの「美術社交界」が新しく認めた「区別」に、各国の社交界が飛びついた結果とも言えるだろう。

しかしロスコは、自分が十分に理解されないまま「区別」され、世評が一人歩きすることを嫌った。年譜によれば一九五七年、自分を「アクション・ペインター」と呼んだジャーナリストに、手紙で反論している。翌年のヴェニス・ビエンナーレに選ばれたときは出品したが、帰国後のグッゲンハイム美術館主催による国際展では、国内大賞の受賞を拒否し、自分の作品を会場から撤去した。ちなみに戸籍上の名前を、画家として歴史に定着したマーク・ロスコに変更したのも、この年だった。もともとはロシア生まれのユダヤ人であり、マーカス・ロスコヴィッツが本名だった。一〇歳で追われるように母国を出て、アメリカにたどり着いてから四五年目の改名である。

その後、大企業シーグラム・ビルの壁面を完成させておきながら、考えが変わって引き渡しを取り消したのは、やはり安易なスター扱いに反発した結果だろうか。自作に深く共感してくれた夫妻に対しては、彼らが建てたヒューストンの教会のため、記念碑的な壁画連作を残している。一九七〇年、新たな制作に向けて、家族と離れ単身で住み込んでいたスタジオの中で自殺した。理由は明らかではない。六六歳だった。

当時の美術界を振り返って、批判的な研究者ロバート・ローゼンブラムは記した。「六〇年代のモダン・アートのはなばなしい成功は、孤独なヴィジョンを追い求める作家にほとんど活動の余地を与えなかった（中略）。芸術は売買され、展示され、論評され、享受されるかもしれないが、芸術が人生を変える道徳的あるいは神秘的な力をもちうるものだと思う人が、今ではほとんどいなくなってしまったのである」（『近代絵画と北方ロマン主義の伝統――フリードリッヒからロスコへ』岩崎美術社）。それでも「私をはっとさせ、立ち止まらせるような例外が少なからず存在する」。その例外的な作家たちの中で、彼が頂点に置いたのはロスコだ。

ローゼンブラムはロスコの画面で「雲や空の上から眺めた大地と海の最初の分離を思い起こさせる水平分離や、自然の光の原初のエネルギーを生み出すような、濃厚で静かにゆらめき輝く色面」の象徴性を、「ある種の普遍的な宗教体験」と結び付けて評価する。それに私も、ほとんど共感できる。しかし「宗教体験」となると、十分には納得できない。私自身の日常生活が、あまりにも宗教から遠ざかっているためだろう。

私はロスコの画面を、不条理な現実に耐えている人間が、それでもなお希望の可能性を探らずにいられない感情の複合体として、評価したい。独特の画面に浮かぶ色の広がりが、どんな色であっても、垂直軸と水平軸から外れて行かない理由は何なのか。それは画家が無数の人々と共有できる普遍的な安定感を探っているために違いない、と私は考える。その一方で、色の広がり方が常に茫洋としており、不安定な浮遊感を免れないのは何故なのか。それは、確かなより所が定まらない精神状態の反映として、読み取れる。このように分析しながら画面を見ていると、不安定な中に安定を探り続ける意志、または願望を象徴的に浮かび上がらせた跡こそが、ロスコの特色であることに気が付く。

日本でロスコが知られ始めたのは、一九六六年に巡回した「現代アメリカ絵画展」からだろう。それを私は京都国立近代美術館で見た。全く意表をつかれ、こんなものが絵といえるのかと思いながら見ていた間に、自分が絵の中へ吸い込まれて行った。その後、滋賀県立近代美術館がロスコを一点購入したときは嬉しかった。いまでは東京、軽井沢、和歌山、大阪、倉敷、福岡の美術館などもロスコ作品を持っているが、最大の見ものは千葉県佐倉市にある川村美術館のコレクションだ。晩年の大作七点を一室に集め、ロスコ・ルームを作ってある。これは米国ヒューストンのロスコ・チャペルに次ぐ特別室だろう。

二〇世紀は何よりも戦争と、環境破壊の世紀であった。それを推し進めたのは、科学の発達に支

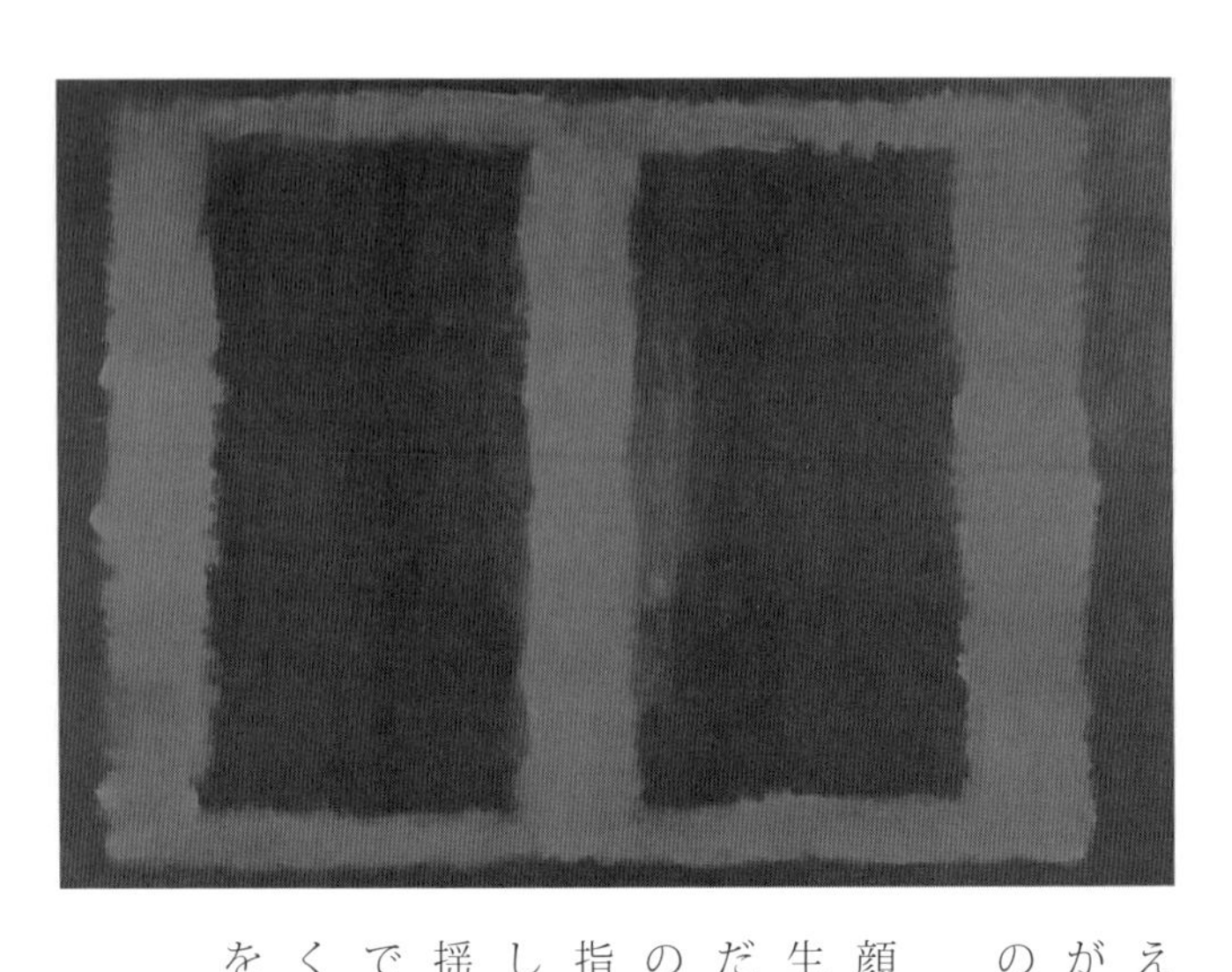

えられた果てしない欲望の昂進である。欲望の歯止めが失われるにつれて、不条理感は、日常化した。普通の主婦や少年たちの犯罪にさえも、それは見てとれる。
ピカソが、引き裂いてから歪めて付け直したような顔や、位置が狂った目鼻の表現にこめた不条理感は、生々しく人目に迫る。それは時代の表現として画期的だったが、破壊的なイメージに終始したため、不条理の指摘または告発まで終わった。ロスコの画面は、指摘でも告発でもない。ひたすら沈黙している。しかしこちらの目と心が、ひそかな画面の揺らぎとともに揺れて行くとき、その沈黙の奥から、不条理と死ぬまで向かい合っていた画家の自問自答が浮かび上がってくる。揺らぎの中の安らぎ。不安定の中の安定。それを、ロスコは探り続けた。
（美術誌『美術フォーラム21』・二〇〇〇年・第二号）

写真＝マーク・ロスコ「無題」1958

美術記事は社会状況にも目配りを

美術の好きな人々が、見に行く展示を決める手がかりは何だろうか。四〇年ほど前、当時の京都国立博物館長だった林家辰三郎さんに言われた。「私は、いつも新聞の記事を当てにしています。自分が歴史の専門家であっても美術には素人やから、展示の見どころを分かりやすく書いてあったら有難い」

それは私が勤務先の新聞社で美術の専門記者を任され、主な取材先になる美術館や博物館、画廊へとあいさつ回りをしていた時だった。「近ごろの美術は、よう分からん作品が増えるばかりで、その解説や批評の記事も分かりにくいことが多い。しかし世の中がどんどん変わってきたら、美術も変わって当然や。その変化を理解したいと思う人間は、私のほかにも大勢いるはず。あんたはこれから苦労するかも知れんけど、できるだけ分かりやすい記事を書いて下さいよ」。さらに「都合悪く見に行けない時でも記事を読んでおけば、新しい動きが分かるような書き方をして欲しい」と、念を押された。

当時はまだパソコンもスマートフォンも無かった。美術界の情報を知りたければ新聞、雑誌が何よりの手掛かりだった。新作を発表する作家たちの場合、悪口でもいいから自分の展示が活字になって読まれたら有難いというものさえ、珍しくなかった。月刊や季刊の雑誌に比べて日刊の新聞は、情報伝達のスピードが違うことも頼りにされた。

インターネットが行き渡るにつれて、美術情報を活字よりネットに頼る人々が増え、新聞は以前より読まれなくなっている。しかし情報を単に知るだけでなく、それが自分にとってどんな意味があるかを考えたい場合、現在でも新聞の重要性は見逃せない。かつて私が新聞社内で美術を担当する以前に紙面の編集職場で働いた経験からいえば、新聞の美術記事は文章と見出し、作品写真と全体のレイアウトが、編集者の美意識によって総合された一つの作品なのだ。読ませる内容と見せる形式が見事に一致した場合の美術記事は、ネットから編集なしで流される美術情報とは次元の違う魅力で、読者をひきつけるはずだから。

美術記事が分かりにくくなるのは、作品が実験的過ぎる場合だ。そんな作品は二〇世紀に入ってから続々と現れてきた。これは、資本主義のグローバルな展開がエスカレートさせた文明現象に違いない。企業同士が製品やサービスの「差別化」を競い合う社会で、「美」よりも「独創性」に執着する「創造作品」が増えるのは、美術の差別化競争にほかならない。

実験的な美の表現は、二〇世紀初頭のフランスから目立ち始めた。描写の荒々しさが野獣にたと

えられたマチスらの「フォーヴィスム」、それとは全く異質な知的分析の方向を探ったピカソらの「キュビスム」だ。ただし、どちらも表現スタイルの独創性にこだわり続けたことでは、美術の枠内で進行した「差別化」だった。同じ頃イタリアで起こった「未来派」の運動は美術のほかに建築、文学、音楽、演劇なども巻き込み、政治のファシズムともつながった文化全体にわたる実験を展開した。その中で美術の全く新しい表現に挑んだのはボッチョーニらだった。

イデオロギーの世紀とも呼ばれた二〇世紀にあって、美術が思想の表現・普及に利用されたことは少なくない。二度の世界大戦と冷戦が、それに拍車をかけた。軍隊用語だった「前衛」が美術用語にも転用され、

写真＝ジョルジョ・モランディ「静物」1951

現状を問いただす批判精神に基づいて新たな美の開拓・実験に挑む「前衛美術」が登場した後、流行が転々と入れ替わる「現代美術」の混沌状態まで広がってきたのだ。

そんな目まぐるしい変転の中から、歴史の評価に耐え後世に残って行くのは、どんな作品だろうか。それを確かめたい気持ちは、退職後二〇余年になる現在でも衰えていない。二〇一五年一二月から翌年六月にかけて神戸・東京・岩手を巡回した「モランディ展」は、激動の時代に登場した作品の真価を考える上で、貴重な機会の一つだった。

読売、朝日、毎日、京都の四紙が、いずれも大きなスペースで論じた記事を読み比べた。どの記事も、それぞれに筆者の見識と鑑賞眼の限界まで、誠実な努力を尽くしながら書かれていた。しかし、全筆者に共通する疑問が残っており、十分わかりやすかったとは言えない。

イタリアの画家モランディ（一八九〇～一九六四）は生没年を見れば分かる通り、二度の世界大戦を体験した世代だ。母国イタリアは両方に参戦し、二度目は敗戦国になった。画家本人は第一次大戦で徴兵され、鬱病と全身衰弱で入院した結果、ボローニャの自宅に帰された。徴兵されずに済んだ第二次大戦では、戦災がひどかったボローニャから農村へ逃げたが、自宅のアトリエには長年描き続けた「静物」の壺やビンなどを残したままだった。

モランディは若いころに未来派と親しく交わり、ファシズム運動組織の会員だった時期がある。軍隊を動かして国全体をファシズムへと巻き込んだムッソリーニが、モランディ作品を購入したこともあった。しかし、ムッソリーニがイタリア社会の旧い風習や方言を現代的に変え、新体制を広げようとしたとき、モランディはボローニャの方言にこだわり続け、伝統的な風習に愛着を隠さず、ムッソリーニ体制に順応しなかった。

今回日本で展示された作品は、モランディを静物画の巨匠として見せることに集中し、わずかに風景画を加えていたが、激動の時代を生きた跡は全く感じさせていない。

彼は一九四八年ヴェネツィア・ビエンナーレ絵画部門の大賞を受けた後、サンパウロ・ビエンナーレでは五三年に版画部門で、五七年に絵画部門で大賞と、いずれも「静物」作品で歴史に残る活躍をした画家であり、日本展の構成が画家の真価を明白に伝えていたことは確かだ。それにしても、彼が大賞を受けたのは第二次大戦後に世界の各地で、多くの芸術家たちが戦時中の鬱屈をぶちまけるような激情表現を続々と発表していた時期だった。それらを無視するかのようなモランディの静寂が評価されたのは、本人も意識していなかったと思われる「差別化」の結果なのだろうか。史上空前の動乱期にあって静寂にこだわり続けたこと、新奇な表現ばかりが横行する中で全く平凡な日用雑器を描き続けたこと――その結果が誰も試みなかった文明批判に達したと認められて、大賞に結びついたわけなのか。このような疑問についての検討を、どの新聞も怠っていたのは残念だった。

これからの美術記事は、作家が生きた時代の社会状況にも目配りをきかせ、その中で作品にどんな意味が生じたかを論じてほしい。自分にも機会があれば、その目配りを決して忘れたくない。新たな美意識の共有空間へ、たゆまずに進みたいと念じながら。

（ＮＰＯ大阪美術市民会議機関紙七号、二〇一六年三月三一日発行）

大衆社会の新聞と美術批評をめぐって
――自社主催も含め多すぎる美術展の間で

〈1〉紹介が基本

現在の日本で、新聞の美術記者が書く記事に、どの程度の批評が期待できるだろうか。私に関する限り、自分の美術記事は批評でなく紹介または解説だと思っている。その現状を、次のように整理してみた。

〔情報に重点〕 展覧会が異常なほど増え続け、しかも異質な分野の展示が雑然と同時進行している状況に対し、どの分野にも的確な批評ができるほど広く深い専門知識を、私は持っていない。多少の知識がある場合でも、それだけで書くことは避けてきた。まず取材し、それに基づいて書く。記事を読んだ人が、そこに取り上げた展覧会を見るとき参考にできるような情報に、重点を置く。それが、美術記者としての私の基本姿勢だ。限られた分野の専門家が十分知っている対象を、本人の知識と立場に基づいて批評する姿勢とは違う。

たとえば、このシンポジウムの三日前に私は京都国立博物館の記者会見で、平安時代から江戸時代にかけて書かれた平かなの名品展「かなの美」の解説を古筆研究者から聞き、翌日は大阪市内で大阪彫刻トリエンナーレの記者会見に出席、その審査に来たイギリスの彫刻家フィリップ・キングらの審査評を聞いた。どちらの記事も会見内容をもとに、展示の紹介を書く予定だ。公募展や個展などを見た後、主催者や作家と会って話す時間が無かったまま書くとき、自分の独断が入り込むことがあるにしても、紹介を中心にするという私の方針は変わらない。

〔多い自社主催〕　日本の特殊事情だろうが、新聞社の主宰する美術展が非常に多い。朝日新聞の場合、主催または後援する美術展が、一年間に百ほどあると、担当部門のデスクから五年前に聞いた。その後も、私の実感では増えているように思う。これらのうち主なものについて紹介用のページを作ることは、会社側から見れば、美術記者の重要な仕事だ。どの新聞社でも総合編集の日刊紙ならば、同じことをしている。

この特集の大半は、作品写真をカラーで印刷し、記事に書き手の署名を入れる。これを発行するかどうかの決め手は広告だ。スポンサーがつかない展覧会の特集ページは実現が難しい。

特集ページの場合、体裁は展覧会の紹介だが狙いは客寄せにある。出品内容は、きびしい美術愛好家が見るとき不満を抱くようなものであっても、それを紹介する記事は欠点の指摘を避け、見どころ中心に集約される。紹介として誠意を尽くそうとするなら長所短所の両方に触れるべきだろう。

しかし短所まで知らせることは客寄せという目的に反するから、企画―執筆―編集とさまざまな担当部門を通って制作されてゆく過程で、当然排除される。

特集とは無関係な美術記事で、短所の指摘も含めた紹介を書く機会は、私の場合つねにある。ただし十余年前、先輩の美術記者は私に引き継ぎをする時、こういった。「ものすごく多い展覧会の数に比べて、新聞紙面のうち美術記事にさかれるスペースはわずかだ。記者が見て、よいと思うものだけを選んで書いても入りきらない。だから、悪口を書きたくなるような展覧会は取り上げない方がいい」

その忠告を私がつねに守っているとは限らないが、おおむねそれに従ってきたことは確かだ。他の新聞を見ても、紹介より批評の比重が増す場合にときどき短所を指摘するだけで、論争が起こるような悪口を滅多に書かない傾向は一致している。いつからそんな傾向が定着したのか、突き止める時間がいまはないが。

〔大多数は読むだけ〕

朝日新聞の一日当たり発行部数は、全国で約八百二十万部。このうち私が属する大阪本社は約二百三十万部を占める。自分の記事は、ふだん大阪本社制作の紙面に掲載されて近畿、北陸、中国、四国の読者に読まれている。東京本社が作る全国向けの紙面にのったときは、ふだんの三倍を上回る人々の目に触れるわけだ。

これほど大量の読者がいることを意識すると、それは美術記事の書き方にも影響してくる。紙面に取り上げた展覧会を実際に見る人々よりも、記事を読み何らかの情報を得るだけで終わる人々の方が、圧倒的に多いからだ。その情報をできるだけ多くの人から信頼され、共感されるように書くのが新聞美術記事の務めではないのかと、私は自問自答してきた。

この秋、国内各地を巡回した朝日主催のユトリロ展で抜群に入場者の多かった東京大丸の場合、会期十一日間で十一万六千人と、一日当たり一万人を超える人々が集まった。私が記事を書いたこの特集は、東京本社管内の夕刊二百七十万部に掲載された。お客の動員数は記録的と言われたのだが、それでも記事を読んだはずの人数に比べれば、ケタ違いに少ない。

作品を見る人と、情報を読むだけの人との圧倒的な差を考慮しながら、過密スケジュールの中で記事を書く私にとって、どんな展覧会に対しても批評として成り立つ書き方のお手本があれば実に助かる。しかし、いまのところお手本は見当たらない。

それでも何か参考にできないかと、よく美術雑誌などをのぞいてみるのだが、それらの大半は私にとって違和感をぬぐいきれない。この原因は筆者たちが、まず特殊な言葉や一般の人に知られていない固有名詞、データなどを説明抜きで使いすぎることにある。また批評の対象になっている作品や作家が、なぜそこに取り上げられたのかという理由を、平均的な美術好きの人々でも分かるように書いていないことが大きな欠陥だ。それでは、書き手と同じ程度の体験や情報の持主には通じるにしても、裾野の広い新聞読者を相手にする場合、空回りしてしまう。

〈2〉研究者にお願い

新聞美術記事の現状をかりみて、美学・美術史の研究者にお願いしたいことがある。自分の研究に基づく批評活動をしている評論家も、その中に加えてのことだ。

〔開かれた言葉が欲しい〕　分かりにくい記事は、新聞ではボツになるか、書き直しを要求される。美術専門の雑誌などで見受ける批評のほとんどは、そのまま一般の新聞に出稿された場合、デスクが受け付けないだろう。

私の体験では、ある展覧会について新聞にのせたい批評を、その分野に詳しい研究者や評論家に頼むとき「美学・美術史の専門用語は、できるだけ普通の言葉に直して下さい。内容が抽象的になるときは一般の読者にも通じるたとえや、親しみやすいエピソードなどを付け加えていただけませんか」と、念を押す方がいい。それでも受け取った後で、しばしば「素人の読者を代表して」デスクが、手直しを求めてくる。

研究者や評論家による文章では現在、一般的な言葉で書かれていても分かりにくい場合が少なくない。その理由は、まず美術に関する言葉の混乱と未熟、または閉鎖性だ。たとえば明治以降の教養人たちが広めた「鑑賞者」という言葉は、いまの美術状況に接するとき、どの程度まで違和感なしに使えるだろうか。

いわゆる現代美術が文明の現状を問い直し、または批判しながら展開してきた跡には、それを見る人々に対して、教養本位の「鑑賞者」でいることを許さないような作品が多い。それに代わって「観者」という言葉が、しばしば使われている。しかし一般に通用しているとは思えないため、新聞記者としてまだ私には使えない。

「美術」という言葉の代わりに「アート」を使う人々が近ごろ増えつつある。しかしその人々の会話や文章では、ファッション業界と区別のつかない言語感覚が支配的だ。どこまでが「美術」で、どこからが従来の「美術」に当てはまらない「アート」なのかを判別する根拠も、明確に示されたことがない。私は、引用文なら別だが自分の言葉として「アート」や「アーチスト」を、まだとても使う気になれない。

どう書けばよいのか困ったときに「見る人」「作る人」という表現を、しばしば私は使うようになった。読者に通じやすい言葉が見当たらないときは、いわば手作りの、自分で考えだした言葉で間に合わせるより仕方がない。「作る人」の場合は、一般になじまれている感触から「作家」「作者」とも書くことが多い。

〔**全体像を見渡したい**〕 いまの日本で誰も数えきれないほど大量に、混然とひしめき合って開かれ続ける美術展ラッシュの全体像を把握し、その意味を分かりやすく解き明かしてもらえるような研究者が居れば有難いのだが、現状では如何なものだろうか。あるいは全体像を直接論じなくても、それを踏まえた上で批評に力を入れてもらえないだろうか。「作る人」も「見る人」も多様化が進み、それぞれの世界で閉鎖的な充足感を求めあっているように感じられる現在、とりあえず全体像を見渡そうとする努力だけでも示しながら批評対象を選ばなければ、その評価基準が一般の人々から分かってもらえないだろう。

玉石混交、ミソもクソも一緒のような日本の美術界で批評と見なされている文章の大半が、どの程度全体像を踏まえた上で評価を下し、言葉を選んでいるのか私には分からない。全体像を一匹の象にたとえるならば、いま日本の美術批評のほとんどは、鼻とか尻尾のような特定の部分だけしか論じていないとまで言いたくなる。

〈3〉それぞれの責任

美術批評の大半が衰弱し、または閉鎖的になっていることを研究者、評論家だけが責任を負うべき問題のように考えたら間違いだ。

多くの読者を相手にする美術ジャーナリズムの責任はもっと大きい、という見方もできるだろう。ただし個々のジャーナリストだけを責めるのは片手落ちだ。美術に関する編集・報道の方針が混乱しがちなメディアの経営陣、確かな読み応えのある報道と批評をメディアに要求しない読者も、それぞれに責任がある。

〔**精神状況の反映か**〕 極端な例だが、美術記者のスキャンダルを考えてみよう。本人の堕落を非難するだけでなく、彼がどんな日常勤務を強いられ、または安易に任されていたかを点検するなら、彼が勤めていた企業の内部に問題が無かったとは言えなくなるだろう。記者の堕落は、その記事内容に必ず露呈する。それに彼の上司や同僚が気づかない場合、注意深い読者が苦情を言わなければ、堕落はいつまでまかり通るか分からない。

大局的に見れば美術批評の現状は、この国で美術界の内外にうごめく人々全体の精神状況を反映しているだけかも知れない。数年前の異様だった美術品の値上がりと買いあさり、その後の暴落をめぐる世相を思い起こすにつけても、この国に確かな美術批評が定着していたなら、状況は全然異なっていただろうと思われる。

文学や音楽など他の芸術分野に比べて美術界に、批評だけで食えている人がどれほどいるだろう。美術批評だけで生活が成り立つほど、多くの人々の心をつかみ広く買い求められるような文章が、どれほど書かれてきただろう。またはそのような「書き手」を求めて止まないだけの、心からの美術好きが「見る人」の間に少なすぎるのではないだろうか。

文章に書かれた批評でなく、話し言葉の批評がどんな状態にあるかを探っておくことも、現状を問い直す上では大切なはずだ。

「趣味は美術鑑賞」という人々の会話で素朴な形容詞以外に、美術についてどの程度きめ細かく、豊かな言葉が使われているだろうか。暮らしの中に生きている言葉だけでは、話が続かない。よそ行きの言葉で話すと白けてくる。それが、大方の現実ではないか。いまは人口の九割が中流の暮らしという日本で、開かれた美術批評を考えるとき、その現実を無視することはできない。

（神林恒道編『美術批評の現在』一九九三年、素人社刊所収）

第二章　奇妙な繁栄の反映

バブル時代の美術展ラッシュ

日本で開かれる美術展は、近ごろ異常と思われるほど多い。経済大国の繁栄が、美術展ラッシュにも明白に反映している。しかし、それらの内容を必ずしも豊かとはいえない。高級車ベンツに乗る日本人が増えても、その中でまともな紳士は少ないように。美術展ラッシュの実態は、経済に比べて文化が貧しいこの国の精神状態も反映している。私は美術担当の新聞記者として、その実態を一〇年近く取材してきた。昔は良かったと単純に言うことはできないが、奇妙な繁栄の中で混乱が続く現状には、大きな疑問を感じている。今後はどうなるのか。それを考えるために、自分の見聞を整理してみたい。他の人々と共通の情報をもとにして、一緒に考えることができれば有難いので、数字やエピソードはなるべく具体的に書く。データと例証を示さないまま独断を押し付けるタイプの美術評論によって、私自身が混乱させられた記憶は多い。そんな混乱は避けたい。

ギャラリー五〇倍超す

「新しく画廊を開きました」という女性から、先日私に問い合わせがあった。「ここで催す展覧会を必ず新聞で書いてもらうためには、どうすれば良いでしょうか」と。私は新聞美術記事の種類や限界を説明しながら、こう答えた。「話題をにぎわせる作品があれば新聞は飛びつくし、テレビや雑誌も取材に来る可能性が強い。しかし、ある新聞社が必ず記事にする美術展と言えば、歴史的名作の展示以外は、その会社が主催するものだけです。主催者以外のマスコミでも必ず報道するのは、出品作が贋作だったり、盗まれたりして騒がれた場合しか考えられない。なぜならば、いまは美術展が多すぎますから」

一年に何度か、そんな質問を受ける。社の玄関先に作品を持ってきたから見て欲しいとか、重役の親類が個展を開くから書いてくれなどと、強引に頼まれることもある。そのたびに私は思う…絵描きは絵を描く、犬は吠える、当たり前だ。独自の見どころが無かったら記事にならんよ、と。

こんなことを言ったら「あの記者は思い上がっている」と、反感を持たれるかもしれない。しかし政治、経済、社会、文化、スポーツなど大量の記事が収められる新聞紙上で、美術記事に与えられるスペースは広くない。たとえば私がこの報告を書いている一九九八年秋に、アメリカではポスト・レーガンの大統領候補らが激しく論争しており、ソウル五輪は華々しく進行中だが、日本では天皇の病状が重くなる一方、消費税の国会審議が難航している…

このようなホット・ニュースを優先しながら、美術愛好者のためには誌面全体（通常は朝・夕刊合わせて三六ページ）の一〜二％ほどのスペースを与えるのが、日本では一般的な新聞各紙に共通した編集方針なのだ。社から私はそのスペースをできるだけ読者が喜ぶように使えと命令されている。美術展が多くなればなるほど、限られたスペースに何を選んで掲載すべきか、という悩みは深くなる。つい「絵描きは……犬は……」などと言いたくもなるのだ。

ちょうど三〇年前の「日本美術年鑑」（東京国立文化財研究所、一九五八年刊）に、次のような記録がある。

「まちの画廊は漸増して現在およそ四〇を数え、一週間四〇、年間約二〇〇〇の展覧会が開かれたことは我が国画壇の異常な盛況を物語るものと言わねばならない」

ことし（一九八八年）文化庁が初めて発刊した「我が国の文化と文化行政」報告書では、「いま全国の画廊数は二〇五七（美術家名鑑一九八八年版）」とある。これだけでも、いまや三〇年前の「異常な盛況」の五〇倍以上になる。しかしベテランの美術商によれば「現実の美術展会場はもっと多い。その実感が、文化庁の数字ではよく分からん」という。

なぜか。いまの日本ではデパートの大半を始め文化催事の好きなスーパーマーケット、ホテル、市民会館などの中にも、ギャラリーがあることは珍しくない。その実態を文化庁は調べなかった。また「画廊」でも営業年数の少ないものや、アマチュア的なものが近年増えているのに、それらを数えていなかった。

不特定多数の人間に美術品を見せるため公開された空間をすべて「ギャラリー」と呼ぶことにするなら、東京には約一二〇〇、京阪神には約八〇〇のギャラリーがあると、私はすでに八年前、有力画商たちから聞いていた。それ以後も増えていることは、新設ギャラリーから案内状がくるたびに気付かされるが、全体に関する記録はどこにも無い。

京阪神とは、大阪を中心とする直径約一〇〇キロの円内に京都、神戸などの主要部分と西宮、芦屋などの衛星都市が含まれる地域の通称だ。日本列島を東西に分けて考えるとき、東側では東京、西側では京阪神が文化の中心になっている。「ギャラリー」の増えかたも、この二つの文化圏でとくに激しい。

近年、大都市では商業用ビルの建設が盛んだ。ビル内部の各室には、さまざまな業種のテナントが入る。たまたまテナントを全室に確保できず空室がある場合、ビルのオーナーがそこに「ギャラリー」を開設する。こんなことがしばしばあると、東京の美術商が話してくれた。室内に絵を並べて入り口に看板を出し、中に店番を一人置けば外観は整う。「ギャラリー」の店番と言えば給料が安くても喜んで雇われたがる女性たちが、いまどきの日本では珍しくない。ここで収益を上げなくても、空室のまま放置せずギャラリーにしておけば、ビル内にそれなりの活気が生じる。ある日、この室を借りたいテナントが見つかったら、容易に明け渡すことができる。ギャラリーが突然ブティックになったとか、ラーメン屋になってしまったこともある、と聞かされた。

私が直接見た大阪の例では、木造家屋だった自宅をビルに建て替えた後、テナントを入れた室以外に家主が自分の趣味のため一室を使い、お気に入りの画家が作品を発表したいときだけ無料で貸す場所にしていた。大阪市内の別の例では家主の妻が画廊を開き、毎週ちがう作家に展示をさせていた。有料なのだが駅に近いため、人が集まりやすい場所を好む作家たちの出品は途切れたことがない。

デパートが競争開催

日本では欧米と違って、デパート同士が競争しながら美術展を開く。店のイメージアップと販売促進のため、美術展は重要な手段だと認められてきたのだ。京阪神ではほとんど毎週ちがう美術展を開くデパートが一五店あり、そこに集まる人々は、通常の美術館や画廊の入場者に比べれば圧倒的に多い。たとえば大阪市近郊の吹田市にある国立国際美術館は一九八二年に一年間の入場者が八〇、六五一人だったが、大阪駅前のデパート、大丸梅田店の中にある大丸ミュージアムでは一三日間開いた「東山魁夷展」（一九八三年）だけで八五、三八七人を集めたことがある。国立美術館の一年分が、デパートの一三日分より少ないのだった。

国立国際美術館は現代人が見て新たな意味を感じられる作品の紹介に、努力している。普通の人々が「分かりにくい」という作品でも、方針を崩さずに展示する。しかもここは、交通の便がよくない。

だから入場者が少ない。それに対し大丸ミュージアムは「お客様に親しまれる」作品ばかりを選んで見せてきた。交通は最高に便利だ。デパート内で成功している美術展会場の一典型ともいえよう。

その広さは七〇〇平方メートル。一週間、または二週間ごとに違う美術展を開き、入場料は五〇〇~九〇〇円くらい。入場者が一日平均二〇〇〇人より少なければ、成功と見なされない。一九八三年に開設してからこれまでの五年間、一日平均の入場者数では――

〈一〉　東山魁夷（六、五六八人）
〈二〉　いけばな小原流（六、一二二人）
〈三〉　ドウェン・ハンソン（六、〇六三人）
〈四〉　いわさきちひろ（四、八六四人）
〈五〉　原田泰治（四、七二一人）
〈六〉　ピカソ（四、四七八人）

このような結果が記録されている。

〈一〉は日本の伝統的技法による風景画、〈二〉は花を素材にした日本独特の伝統芸術なのだが、どちらも古来の様式を現代人の感覚に合わせて、微妙に変化させた美意識が好まれている。それ

写真＝ドウェン・ハンソン「買い出しの女」1974

らの高い人気は、日本人の平均的な傾向を反映したと見てよいのだろう。しかし〈三〉が米国現代作家のスーパー・リアルな人体彫刻であることから、国籍や伝統にとらわれない日本人も多いことが分かる。〈四〉は可愛い子供をモチーフにした抒情的な絵、〈五〉は人間のいる風景を郷愁と共に描いた素朴画だ。ピカソの〈六〉という結果は、デパート美術展でも単純に親しめる作品以外に、本格的な現代絵画を求める人々が少なくないことを示す一例だろう。

日本で、美術を「見る人」の平均的傾向が分かる場所はデパートだが、「作る人」の傾向を平均的に示すのは公募団体だ。

年に一回、不特定多数の作家に呼び掛けて新作の出品を広く募り、一定の審査で入選した作品を、公立美術館に借りた会場で展示する。これが公募団体の一般的事業だ。主な団体は結成順に日展（日本美術展）、二科会、独立美術、新制作、行動美術、モダンアート協会などがある。

東京都美術館で会場を借りる公募団体は、一九五一年に六〇だったが、一九八五年には二二九団体まで増えた（文化庁報告書）。その後さらに新たな団体の借館申し込みが続いているが、すべての希望に応じることは困難だ。その一方で有力団体の大規模化も進み、たとえば日展の応募者は一九八三年に一〇、〇〇〇人を上回り、一九八七年には一一、六〇〇人になった。

有力団体の作品展は東京都美術館の後で、全国の有力な地方都市へ巡回する。その年中行事が地方の美術愛好者たちにとっては、造形表現の時流を知る大きなチャンスになる。

しかし公募団体の運営方法や、作品審査の基準などに対して、個性の強い作家たちは厳しく批判してきた。

一九三〇年代から国際的な制作活動で知られている画家、岡本太郎が二科会を脱退したのは一九六一年のことだ。「古い因習的なものが（現状の二科会には）強く、新人を育てる新鮮な芽生えなどとても期待できない。会の運営も一部の人が決めるなどメチャクチャで、最低のルールさえ守られず不明朗だ」と岡本から聞いたことを、共同通信記者の北村由雄は著書「現代画壇・美術記者の眼」に収録している。

一九五〇年から日展に出品してきた日本画家、下保昭は一九八八年に脱会した。彼は一九八二年に日本芸術大賞を受けており、日展では東山魁夷に続く主要作家の一人だったが、制作の自由を確保するため、結局は「一匹狼」になった。

写真＝下保　昭「冰雪黄山」1991

三〇年前の「日本美術年鑑」には、早くも次のような状況が記されている。「各美術団体が、その各々の個性を失い、（絵画、彫刻、工芸、書などの）総合展をモットーとしていた日展が在野団体となった今日（運営組織がこの年に、政府機関から分離された）、むしろ団体に捉われぬ綜合展――例えば、朝日新聞社の選抜秀作展、選抜新人展、毎日新聞社の国際美術展、現代日本美術展、読売新聞社の国際版画ビエンナーレ展など、各社の企画によって行われることが多くなってきたことも近来の顕著な現象である」と。

確かに、公募団体の出品者が現在まで増え続けてきたことは事実だが、時代感覚の先端を探る実験的作品は、公募団体に集まらなくなっている。

「一匹狼の作家たちはもちろん、公募団体の作家たちでも新しい実験を発表するとき、まず画廊で個展を開く。主に狙う出品先は、新聞社などが主催する公募形式の美術コンクールだ。この風潮が三〇年ほど前から広がるにつれて、新聞社以外の企業や自治体などが主催するコンクールも増えた。

たとえばコンピューター企業のＩＢＭ絵画・イラストコンクール。大阪府が実験的な平面だけを集める吉原治良賞コンクール（吉原は二〇世紀美術史に残ると評価され、フランスと日本の百科事典に記されている「具体美術協会」のリーダーだった故人）。兵庫県の山間にある人口八、五〇〇人の青垣町が、二一世紀に向けて全国から四〇歳以下の日本画家に出品を募る「青垣二〇〇一年日本画展」。これらが、近年始められた事例の中で目立つ。文化庁報告書によれば、このようなコンクールが大小合わせて、いま全国で一〇〇以上あるという。

一九八八年のベニス・ビエンナーレに日本から出品した植松圭二、戸谷成雄と舟越桂の三人は、いずれも個展中心に発表してきた作品で認められ、選抜された。実験的な作家たちの場合、コンクールで受賞することは世に知られるチャンスとして重要だが、画廊の新作発表で評価されることも、それに劣らない。

一九八二年のベニスに選ばれた一人、北山善夫の場合はそれ以前に大阪と京都で開いた個展が好評で、東京からも注目された後、いきなり国際的作家へと飛躍した。一九八八年は「東京―ベルリン交換展」に選ばれ、ベルリンで大作を発表している。大阪展当時の北山は全く無名だったが、その個展会場に入ったとき私は初めて見た作品に大きく心を動かされ、驚いた記憶がある。フリーの無名作家にとって、個展はどれほど重要なチャンスになるか。北山は、それがよく分かった実例の一人だ。

新しすぎて普通の人々が「分からない」という作品は、なかなか売れない。利益本位の画廊は実験的作品よりも、公募団体の有力作家などが描く分かりやすい作品を仕入れて展示・販売する。美術大学の学生や、社会人向けの美術教室などで絵を学んだ人々に習作発表の場を貸す画廊も、実験的作品を敬遠する。ホテルや銀行、大企業のオフィスなどが接客ムードを和らげるために設けているギャラリーは、難解な作品など初めから寄せ付けない。

これらを除いて見渡すと、実験的な「作る人」を歓迎する画廊は明らかに少数派だ。ここで「見る人」たちは、一週間の個展で平均二〇〇〜三〇〇人くらい。さきにデパートの例では一日一、〇〇〇人以下なら成功と言われないと書いた。それに比べれば「実験派」画廊の入場者は情けないほど少ない。しかし現代美術の世界的潮流を日本人が受け入れ、またはそれと競い合う日本独自の作品を紹介するために「実験派」画廊が果たしてきた役割は、デパートよりもはるかに重要だ。三〇年ほど前から激しく変動してきた新しい美術潮流——アクションペインティング、ポップアート、オプティカルアート、キネティックアート、ハプニング、プライマリーアート、ミニマルアート、コンセプチュアルアート、パフォーマンス、ビデオアート、ニューペインティング、インスタレーション——などを写真や活字の情報でなく実物の作品で、いち早く紹介してきたのが「実験派」画廊だ。日本で便宜的に「現代美術」と呼ばれる表現様式の流れを受け止め、対決し、現代日本の独自表現を探った作家たちにとっては、「実験派」画廊が何よりの拠点にされてきたのだ。

私の記憶は断片的だが、東京画廊と南画廊（東京）、ギャラリー16（京都）、信濃橋画廊（大阪）は、先駆者としての功績が特に大きい。その歴史的評価は、いずれ美術史家によって果たされなくてはならないだろう。しかしこの報告では、美術展ラッシュの現状を検討することに論点をしぼりたい。

実験派作家選抜の意義

「実験派」画廊で認められた作家たちは、海外の国際展へ派遣されるほかに、国内の美術館が企画した現代美術展に招待される機会が多かった。過去三〇年間の主な企画ではとくに東京国立近代美術館「現代美術の実験展」、京都国立近代美術館「現代美術の動向展」が全国的な視野で新たな活動に目配りをきかせ、画期的だった。

それらの後で、一九七三年から八八年まで続いた朝日新聞社主催「アート・ナウ」の意義も大きい。これは作家の選抜範囲が日本列島の西半分から九州を除いた一八府県に限定されていたが、同時期にこれほどの規模で開かれた選抜方式の現代美術展は他になかった。とくに日本で現代美術の潮流を跡付けるとき「アート・ナウ」を見落とすことはできない。

これは第一回展が大阪の梅田近代美術館で始まり、第二回展から神戸の兵庫県立近代美術館に会場が移った。ほとんど毎年一回開かれ、最後は第一四回展で終わった。

八〇年代に、現代美術を「作る人」「見る人」の間で「西高東低」と言われたことがある。東京を含めて日本の東側に意欲的な作品が少なく、京阪神を中心とする西側の実験がエネルギッシュだったからだ。その原因は「アート・ナウ」が、西側の若い作家たちに新鮮な刺激を与え続けたためと見られる。

原則として一回ごとに違う作家を選び、計二〇～三〇人を集める方式に「アート・ナウ」の特

色があった。全く無名な作家でも、貸画廊で発表した作品が選考委員たちからよい評価を受ければ、招待されたのだ。一人で使える空間が通常の画廊より広いため、招かれた作家たちの大半は巨大な作品を競い合って作った。

選考委員の一人、乾由明京大教授は「いま思い出しても会場を松の大木で貫いたジャパン・コウベ・ゼロによるイベント、福島敬恭の鉛の平面による寡黙な大作、床に並べたブロックをハンマーで壊して行った高崎元尚の行為、会場になった美術館の窓を取り外して移動させたザ・プレイの「作品」、発泡スチロールに鮮烈な色彩を塗り付けた中西學の巨大な造形など、深く心に刻み込まれている作品も多い」（一九八八年三月五日・朝日新聞）と回想している。

第一四回までの招待作家は二九五人と二グループ。その中で、乾教授の回想以外に有力な作家たちを早く

写真＝中西　學「KING OF OBJECT」1985

招待された順に記すと――郭徳俊、河口龍夫、木村光祐、黒崎彰、三尾公三、荒木高子、井田照一、植松奎二、新宮晋、鄭相和、富樫実、小清水漸、濱谷明夫、福岡道雄、金子潤、松谷武判、元永定正、北山善夫らがいる。いずれも国際的な活動実績が豊富で広く知られた人々だ。

このような意義深い活動の後一九八八年限りで「アート・ナウ」は終わった。その理由を兵庫県立近代美術館の学芸員たちは「作品の傾向が固定化してきたため」と話した。しかし私の考えでは、それよりもっと大きな理由が他にある。

「アート・ナウ」の選考委員会は美術評論家、美術館学芸員、美術記者などで構成され、私も一九八二年から八八年まで委員の一人だった。委員は数人交代したが、全体の人数は毎年一〇～一一人だった。選考会議では、事前に各委員が自分の認める候補作家たちについて実績を報告し作品写真を見せた後、他の委員の合意が多く集まった候補から順に、招待することが決められた。ある委員が合意しなかった場合、その理由は二つだ。一つは候補作家の作品を見たことがなく、写真だけでは判定できなかった場合。もう一つは、見た記憶を基に否定的評価を下した場合だ。

「アート・ナウ」の末期になると、選考委員の大半が合意する候補作家は稀になってしまった。私に限って言えば、見たことのない候補が一年増しに多くなった。この原因は第一に、増え続ける美術展ラッシュの中で「実験派」の個展を見歩く時間が減ったためだ。その一方で、見たことがあっても評価できない候補が増えた。これは近ごろの「実験派」に私の感覚が付いて行けなくなったためか、力のある候補が減ってしまったためか、どちらかの理由による。

他の委員諸氏がどのような状態にあったかを、私が尋ねる機会はなかった。しかし、多数の合意が集まる候補の減少に、「アート・ナウ」を閉じた一因があったことは明白だ。閉幕に全委員が喜んで賛成したわけではないが、「アート・ナウの役目は終わった」という兵庫県立近代美術館の主張を認めた委員諸氏の中には、私と似た心境の人々もいたと思われた。

新聞社主催展も激化

かつて北山善夫とは何者かを知らないまま、たまたま彼の個展会場を訪れ、新鮮な驚きと喜びに包まれた時の私は、現在に比べれば仕事に余裕があった。「実験派」に寄せる期待も大きかった。いまの私は余裕に乏しく、期待感も薄らいでいる。美術展ラッシュの中で一人の美術記者がどんな仕事をしているかを、一つの参考資料としてここに記しておこう。

朝日新聞社の発行部数は全国で七九九万部、そのうち私が所属する大阪本社は二二八万部（いずれも一九八八年八月調べ）を発行し、サービスエリアは近畿、北陸、中国、四国地方の一六府県にわたっている。私が富山県立近代美術館の記事を書いた翌週に奈良国立博物館や、ひろしま美術館へ取材に回ることは珍しくない。また一年に数回は東京で、二、三年に一回は海外でも取材し、記事にしてきた。私の机上には新たに始まる美術展の案内状が一日平均四〇通ほど届く。

いま私は一週間に三回、自分が選んだ美術展の名称、会期、会場を書き並べ、案内情報として新聞に載せる。その合計数は約六〇会場ある。別に週二回は有力な一、二の美術展だけを選び、主な内容を紹介記事に書く。この場合、特に興味をひかれた「実験派」などの美術展については紹介よりも、自分の見解を込めた批評として書く。これらの作業が毎週の定例的な仕事だ。ほかに朝日新聞社の主催展が開かれるとき、その内容紹介と宣伝を兼ねたカラー印刷の特集ページを作ることが、一年に二〇回ほどある。なお高額美術品の売買や盗難、有名作家の死去などは、ニュースの発生に応じて書く。

一九八八年一〇月二日~八日の一週間に私は次のような仕事をした。

記事――全国から公募された神戸須磨離宮公園現代彫刻展（朝日新聞社主催）の主要作品紹介でカラー特集ページ作成◇この彫刻展で大賞を受けた山根耕の人物紹介を社会面に◇絵本の国際コンクールで何度も受賞した画家、安野光雅が大阪郊外で開いた近作展（朝日主催）関連で彼の近況紹介を文化面に◇ほぼ半世紀前から大衆に愛され死後も人気が高い画家、竹久夢二の回顧展（和歌山県立近代美術館主催）について内容紹介を文化面に◇スペイン人画家ミロと同郷で彼に続く世代の画家モデスト・クシャーが神戸で開いた回顧展（朝日主催）、日本画の前衛とも言われた下村良之介が京都で開いた新作展、泉茂大阪芸術大学教授ら四人が大阪で開いた近作展それぞれに対する批評を文化面に。

案内情報――米国人画家のジョージア・オキーフ展（朝日主催）など計六四会場の美術展を三回に分けて、催し案内面と文化面に。

調査報告――業績の顕著な学者、芸術家らを朝日新聞社が選び「朝日賞」を贈るという年中行事のため、私が今年担当させられた候補者四人についての第一次報告書を朝日賞事務局に。

他の新聞社の美術記者たちが、私同様な仕事をしているかどうかは知らない。しかし大きな差があるとは思えない。全国各地で開く朝日新聞社の主催または後援の美術展が一年間に百ちかくあることに対抗して、読売新聞社や毎日新聞社も負けずに多くの美術展を企画する。日常の紙面で見る限り、各社の美術記事スペースは大差ないのだ。それらの記事が自社主催の企画を持ち上げ過ぎていたり、美術館・画廊・デパートなどの展示を独善的に片づけたりしていると私が気付いたときは、自分自身の反省も含めて、いま真に美術を愛する人々は新聞の美術記事をどんな気持ちで読んでいるだろうかと考えずにいられない。

美術専門の新聞や雑誌を見ると、それぞれに苦心して書かれた記事がある。しかし日本で開かれる美術展全体を一頭の象にたとえるなら、それらの専門記事は象のしっぽや足、胴体や鼻をバラバラに論じているばかりだ。「巨大な象」の全体像を理解させてくれる記事はほとんど見当たらない。

こんな状況の中で美術館は何をしているだろうか。さきに、入場者は少なくても現代的な意義がある企画展開催に努力している国立国際美術館の例を挙げた。現在ここに勤務する尾野正晴学芸員の編集した『美術館──この無知なるもの』を読むと、展示が増え続けた結果の混乱に、どの美術館も多かれ少なかれ巻き込まれていることがわかる。

この本は美術館学芸員と美術ジャーナリスト計一〇人の共著だが、「巨大な象」の全体像を理解するための手掛かりについては数人の筆者が断片的に示しただけで、私とは問題意識がずれていた。なお全国にある美術館の数を、一人の筆者は二、二〇〇（一九八三年）と記し、別の筆者は四五〇（一九八四年）と書いていた。どちらにも出典の付記なし。不可解だ。

三〇年前（一九五八）の「日本美術年鑑」には、九四館が紹介されていた。同じ年鑑は一九八八年の現在も出版されているが、美術館数は記されていない。美術館と名の付く施設自体が、現在では全体数さえも把握できない状況にあるのか。

それにしても三〇年前の九四館に比べるなら、現在の数は圧倒的に多い。その一方で大半の美術館が予算と人員の不足に悩まされている実態の情けなさは、『美術館──この無知なるもの』で具体的に追及されている。

貧弱すぎる文化予算

日本では美術館に限らず文化全体にわたる予算の少ないことが、大きな問題だ。

文化庁発行の『我が国の文化と文化行政』によれば、一九八八年度の文化庁予算は総額三七八億余円。国の一般会計のうち〇・〇七％にあたる。

同年度のフランス。文化・コミュニケーション省予算は八八億フラン（一、九四一億円）で、国家予算の〇・八一％だ。

アメリカは一九八三〜一九八四年の数字しかなく行政機構も単純に比較できないが「芸術文化のための公的支出」は、総計が三〇億五八〇〇万ドル（三、八五三億円）もある。

これらの数字を見ると国家予算中に占める文化予算の比率が、フランスは日本の一〇倍以上。金額だけを比べればアメリカは日本の、やはり一〇倍以上ある。わが国で自動車がバカ売れしたり、呆れるほど美術展が増え続けるような繁栄は、文化予算に反映していない。

ゴッホの油絵「ひまわり」一枚を五八億円で、安田火災海上保険株式会社が海外から買い込んだのは一九八七年の国際的な話題になった。同じ年度に、日本政府は溜まり過ぎた貿易黒字のドル減らし対策として、海外美術品の緊急購入予算を組んだ。これが三〇億七〇〇〇万円。ゴッホ一枚の買値のほぼ半額しかない。しかもそれを東京、京都、大阪にある四つの国立美術館で分け合ったのだった。日本では文化のために使われる金は、企業と国家との間に全く奇妙な差がある。

美術品を「作ること」は、商品生産と本質的に違うはずだ。それを「見せること」も「見ること」も、販売・消費とは同一視できないだろう。しかし現代では制作・展示・鑑賞のいずれにも、商行為が密接にからんでいる。その商行為を通じて競争が激しくなればなるほど、優れた作品が生まれる可能性は高まるかも知れない。自動車やカメラでは欧米に競争を挑み続けた日本の企業が、世界中から歓迎される製品を生み出してきた。しかし、それらと同じことが美術品にも果たして期待できるだろうか。現在の美術展ラッシュは優れた作品が生まれるために有効な競争だと、誰がどれだけ認めるだろうか。

トヨタの自動車がアメリカでよく売れる理由は、性能と値段を考えれば米国車より買い得になるからだと聞いた。商品の競争では損得が最後の決め手になる。美術作品でも、昨年買ったゴッホをいつ売れば得かという場合ならば、市場価値の追求以外にすることは無い。しかし生前に全く売れず、貧困の果てに自殺したゴッホの絵は、たとえばコンクールの大賞を狙うような競争の中で描かれた訳ではなかった。

一九八八年の京都国体モニュメントを作った彫刻家、富樫実がかつて毎日新聞社主催の美術コンクールでフランス留学賞（大賞）を受けたとき、応募締め切りの直前まで彼は個展の準備をしていた。友人の作家に勧められて、個展のための作品から一点を選びコンクールに出品したら、受賞してしまったのだ。この賞を狙って早くから準備していた作家が多かったのに、直前まで知らずにいた富樫は受賞後、幸運に驚きながら私に話した。「他の連中はインスタントに作ったが、自分はコンスタントに作り続けていたのが良かったのかな」

私がこの報告を書いている間に京都市美術館で「Maxi Graphica（最大の版画）」展が始まった。

「一九八七和歌山国際版画ビエンナーレ」大賞の木村秀樹ら版画家七人が集まり、初めて試みた自主運営展だ。「版画の可能性をどこまで拡大できるか」と、お互いに競い合った。会場は縦三・九、横九・三ｍもある出原司の超大作をはじめ版画と思えないような作品が多く、不思議な熱気に包まれていた。たまたま出品者のうち田中孝が、開催時期の近い他のコンクールに送っておいた作品で大賞受賞に決まったと分かり、熱気は一層盛り上がった。

田中は同じ版から刷った一・六ｍ四方の版画の一枚をこちらに、もう一枚を二週間後に大阪で始まるＩＢＭ絵画・イラストコンクールに出品し

写真＝木村秀樹「A Lion・Winter」1987
田中　孝「風向２（男）」1989

てあった。それが副賞三〇〇万円つきの大賞に選ばれたのだ。この版画家が仲間たちと新たな実験で始めた自主運営展の最中に、同じ実験作が外の世界で思いもよらなかった評価を受けた訳だ。全くの偶然だったが、絵画・イラストを対象に募集されたコンクールで版画が受賞したことから、現代の日本ではジャンルの区分が本来の意味を失いつつあり、雑然と混じり合っていることが良くわかる。

コンクールが全国で一〇〇を上回ると言われるほど多い現在、一匹狼の作家たちにとっては腕試しの機会が豊富で、歓迎すべき時代ともいえよう。また公募団体の出品者たちが自由な実験に挑みたいときも、その狙いにふさわしいコンクールを選べるのは有難いことだろう。しかしどんなものでも、豊富になり過ぎては飽きられる。いまや多少の受賞くらいでは話題になりにくい。

日本の女性と結婚して大阪の郊外に住みついたユーゴスラヴィア（当時）の彫刻家アリヨス・イエルチチのアトリエに行ったとき、私は奇妙な体験をした。ゴミ捨て場でスピーカー、アンプ、プレヤーとそれぞれ違うメーカーの製品だがこわれていないものを拾い集めて、アリヨスが組み立てたステレオから、ポンコツ仕立てとは思えないほど美しい音楽が聞こえてきたのだった。「日本のゴミ捨て場には、使えるものが平気で捨ててある。なぜ、これほど粗末にするのだろう」と、アリヨスは不思議がっていた。

大国日本の使い捨て感覚は、美術を見る人々の心にも反映している。人々は多くを見ても早く忘れ、大切に見ることは少ない。私はデパートの「ダリ展」会場で見知らぬ若い女性たちに、たまりかねて注意したことがある。彼女たちは絵の前に集団で立ちながら絵を見ようともせず、ダリと無関係な旅行の話にカン高い声をあげていた。近頃は美術館でも、それに近い光景が珍しくない。

美術コンクールの会場では、無関係な雑音を立てる入場者は少ない。しかし一つの作品に熱中して見入る人は滅多にいない。その理由は、コンクールの応募者たちが熱心に作ったものであっても、ほとんどの作品はそれ以前に誰かが試した表現と似ていたり、または他のコンクールと比べて新鮮な変化が見られなくなったためだろうか。際立った特色のない作品が、随所に出されているのだ。「作る人」の時流に流されやすい造形感覚と、「見る人」の使い捨て感覚、どちらも、奇妙な繁栄の反映ではなかろうか。

自主運営展に期待できるか

大阪ではこの夏、かつて「アート・ナウ」で気を吐いた堀尾貞治（元グタイ美術協会会員）や、森本岩雄・京都市立芸術大学教授ら二〇人の作家たちが「いま絵画は―OSAKA'88」展を開いた。これは昨年に続いて堀尾らが自主運営した企画展だが、彼は昨年私にこう話した。「評論家に注目されなくても画家同士が見た結果、意欲的に新しい表現を探っていると認められる努力の跡を基準にして、仲間を募ったわけです」と。昨年は会場で開かれた座談会に京阪神だけでなく滋賀、奈良、岡山などからも来た画家たち計五〇人で「二一世紀への絵画の在り方」を話し合った。ことしは座談会をしなかったが、新たに参加した若い作家らの大作に迫力があり、制作意欲は昨年より高いとも思われた。

今年七月から九月にかけて京都、三重、埼玉の三会場を巡回した「一九八八絵画、今…」展は、一九八七現代日本絵画展大賞を受けた中野庸二ら三〇人が初めて集まった自主運営展だ。主な出品者は日本国際美術展大賞を八八年に受けた黒田克正、同じ賞を八二年に受けた四宮金一、八六日本青年画家展大賞だった長谷川泰子らで、全国各地から意欲的な画家たちがこのような集まり方をしたのは画期的だ。年齢は四〇歳前後が最も多い。明日の日本で絵画の中心勢力になるのは、このメンバーかも知れない。何故かと言えば、この画家たちは一般の美術ファンから敬遠されるほど実験的でもなく、また公募団体に埋没して人間関係ばかり気にしながら制作するほど保守的でもない、と思われるからだ。中野は「年に一回。計三回開いて止める。その間にお互いが全力で制作しあった後、次の展望が開けたらよいのだが」と言っていた。

さらに国際的な自主運営展が目を引く。京都に住む郭徳俊が世界各国の作家たちに呼び掛けて、一九八〇年から京都市美術館などで毎年開いてきた「国際インパクトアートフェスティバル」だ。毎回約三〇カ国から一六〇点ほどの作品が集まる。アメリカ、西ドイツ（当時）など自由主義圏の大国をはじめ韓国などのアジア諸国、中南米、中近東、さらに共産圏の（当時）ヨーロッパからも出品が続いてきたことは素晴らしい実績で、他に例のない美術展と言えるのではないか。

　このフェスティバルは作品輸送の都合と会場の広さに制約があるため、大作は少ない。デパート美術展のような楽しみからは遠い。しかし、小さな版画一点でさえも飢餓や貧困、不当な弾圧などに耐えながら美を探り、求める人々の心が息づいている。

　郭は絵画、版画、ビデオアート、立体造形などの制作を通じて国際的に知られ、ソウル五輪の直前には韓国国立現代美術館の庭にモニュメントを作った。それらの制作だけで十分忙しいはずだが、それでもなお自主運営展を続けてきた理由は「権威から解放された自己主張の場」「自由な場でストレートに発表できる状況」を確保したいためだと、私に話してくれた。

　本来「作る人」は、「見せる人」としての作品集めや会場準備などに慣れていない。自主運営展を続ける場合、作家同士で裏方の事務や作業まで分担し合うことには限界があるだろう。しかしお互いに共感した作家同士が純粋に「作る意味」を確かめ合い、「見せること」に協力し合う自主運営展は、奇妙な繁栄に浮かされた美術展ラッシュの中で実に貴重だ。いまはとりあえず、その努力を大切に見守って行きたい。

（『現代美術の断面―日韓八〇年代中期の現況』京都国際芸術センター・一九八九年刊所収）

第三章　「大半が中流」時代の創意

都市の共生感探る清水九兵衛の彫刻

古い家が軒をそろえていた京都の町並みに、ビルの割り込みが目立ってきたのは、日本の高度成長期からだ。ほぼ二〇年後、バブル経済の勢いに乗った乱開発で、伝統的な町並みの統一感はすっかり消えて行った。市内中心部のホテルが反対論を押し切って、高さ六〇メートルまで高層化したのは、乱開発の典型と見られている。

「京空間」と名付けられた清水九兵衛の大作に出合ったとき、これは一種の挽歌だろうかと、つい考えてしまった。制作時期は一九九四年。すでにバブルは消え去っていた。

作品は全体が穏やかな銀色だ。たとえば霞がゆっくりと漂っている気配を、そこに感じても不思議ではない。高さ二メートル、左右は七メートル余り。奥行きの深さは、見方に応じてどのようにも変わりそうだ。

素材はすべて同質のアルミニウム板で一見単調だが、その上に流れる光と影のリズムは実に微妙だ。奥へ行くほどこまやかになる。見るものの目と心を招き入れながら、柔らかく息づいている。

　このリズムは、すっぱり切断された平板と、ゆるやかに波打ってふくらむ板との対比から生まれてきた。アルミ板の表面仕上げは金属的な硬い光沢をさりげなく抑えてあるが、それでも見る位置によっては静かな光のハレーションが起こり、ふと輪郭が揺れ動くと、リズムは一層変化を増す。

　この玄妙な静寂を、何と呼べばよいのだろう。京都の五条坂に住む作者から、瓦屋根の町並みを見渡すのが昔から好きだったと以前に聞いたことを、私は思い出した。その愛着を木や石など伝統的素材でなく、アルミという現代の工業的素材で表現したのは、懐古的な情緒を避けたかったためだろうか。

　これを含めて七一点の作品を選び、一九九五年夏、大阪の国立国際美術館が開いた「清水九

写真＝清水九兵衛「京空間A」1996

兵衛展」のカタログに、本人のこんな話がある。

「日本人は、元来は雰囲気をつくることがたいへんうまい人種だと思っております。これは、日本人の立体に関する美感覚、美意識というものが質感の中で育てられてきたことと関係があるというのが私の持論なんですが。日本で古来使われてきた素材を見ましてもひじょうに質感の強いものばかりです。日本の古い構造物は、質感のバランスを考えた構造で成り立っています。茶席にしても庭にしても、質感の強弱をうまくコントロールしてバランスをつくり出しています。このコントロールが雰囲気をつくり出す出発点になっています」

読みながら作品のイメージを思い起こすと、彼の仕事では一貫して「雰囲気」「質感」「バランス」が、強く意識されてきたことに気づく。

彼が一九六〇年代後半、真鍮で抽象立体を作り始めた初期の作品は「微動鋳体」という名だった。微動を暗示するバランス感覚が絶妙な構造だ。いまにも動き出しそうな生命感と、そのまま静止に耐えている自己抑制の緊張感が、安定と不安定の境目でぎりぎりのバランスを保っていた。

全く偶然に東京の画廊で、私はこの微動鋳体に出合ったことがある。三〇年近くも前のことだが、一目見て何といもいえなくなり、我を忘れて眺め入った記憶は今でも生々しい。

一年半ほどヨーロッパ各地の美術を見て回った後、七〇年代初めから彼は、素材をアルミに切り替えた。形が単純化し、構造の安定度が高くなった。しかしその中で、固い抑制感と柔らかい解放感をずばりと対比したバランス感覚は、やはり絶妙だ。

　この素材と手法が当時は、群を抜いて新鮮だった。一九七四年から八五年にかけて、彼が受けた美術賞は十五種類ある。ほとんど総なめの勢いだった。

　七〇年代は美術の場合、古い体制を見限った人々が権威中心の公募団体を離れ、もっと自由な美術コンクールに期待を寄せ始めた時代だ。神戸須磨離宮公園、宇部野外彫刻美術館、箱根・彫刻の森など各地のコンクールが、彫刻家たちの新たな目標になった。これらのコンクールで続けざまに受賞した清水九兵衛は、コンクール時代を通じて大成したといってもいい。

　八〇年代から全国に広がってきた新しい流れは、パブリック・アートに見られる。ここでも清水九兵衛は、先駆者的な活躍をしてきた作家の一人だ。屋外作品の表面を赤一色に塗りこめた八〇年代初頭の試みが神戸須磨で大賞を受け、東京の大正海上火災新社屋では建築界からも絶賛された。北海道から九州まで各地に永久設置された彼のパブリック・アートは、九四年末で七十点を上回っている。

　駅前や公園、大建築のホールなどを魅力的な空間にするというパブリック・アートの場合、何より重視されるのは環境との調和だ。彼がアルミを使い始めた最初のシリーズに「ＡＦＦＩＮＩＴＹ（親和）」と名付けた感覚は、その後もずっと変わっていない。周囲になじむことを大前提にしながら、彼は作ってきた。

この感覚は、徹底した自己表現を期待する人々から誤解や、批判を受けやすい。しかし清水九兵衛の「自己」は、新たな「親和」を求める意識とともにあるのではないか。その意識を、たとえば都市の中の共生感と名付けてみよう。すると「京空間」の静寂から、明日の暮らしを問うつぶやきも浮かんでくるように見える。

（『日本美術工芸』一九九五年一〇月号）

崩壊感覚を秘めて拡張する北山善夫

インド・トリエンナーレ国際美術展に出品された北山善夫の大作を、私は七月下旬に大阪のカサハラ画廊で見ることができた。トリエンナーレ終了後、北山作品はこの画廊に返送されてきたのだ。ここで七月二〇日まで開いていた北山の近作展には間に合わなかったが、そのまま残してあった近作の間にインド出品作も加えられ、会期は実質的に延長されたのだった。

インド出品作は高さ七メートル、幅二・五メートル、奥行き二・二メートルあり、室内展示作品としては巨大だ。カサハラ画廊では天井に合わせて、作品の高さを五メートルまで下げていた。簡単に高低を調節できるのは、この作品の上半分が竹と和紙で作られた柔構造のためだ。巨大でありながら、高低も柔軟に変えられる。この特色は北山独特の素材感覚および技法と深く結びついている。

北山が竹と和紙による立体表現を始めたのは十年余前のことだった。一九八〇年に大阪の靭ギャラリーで初めて北山作品を見たとき、私は驚いた記憶がある。難解な表現ばかりと思われた現代表現の中で、北山の作品は理解の難易と全く無関係に、見た瞬間から共感を呼び起こした。

竹も和紙も、私たちの暮らしとは深いかかわりがある。垣根、障子、茶道具や日用品の記憶が、竹と和紙どちらの素材からも浮かび上がる。年中行事では七夕。短冊をつけて軒に吊るす笹の飾り。かぐや姫の竹取物語は、神話伝説の時代から日本人が竹と馴れ親しんでいたことを示す好例だ。近代の文学では、自意識をいたましいほどに鋭く掘り下げた萩原朔太郎が、薄明の空間に竹を凝視した一連の詩がすばらしい。

精神人類学者の藤岡喜愛によれば、人間は心の中にたくさんのイメージが詰まっている「イメージ・タンク」なのだという。タンクの内容に個人差があるということは当然だが、日本人ならば誰の心にでもひそんでいるような共通イメージも一つの層をなしているだろう。

北山が選んだ竹と和紙は、どちらも日本に限らず、アジアの広い地域にわたって共通イメージまたは共通の親近感が蓄積されてきた素材といえよう。とりわけ彼の作品の骨格をなしている竹は、豊かなイメージを喚起する素材でありながら美術表現の上で無視されていたため、北山が使い始めたことによって全く新しいイメージ効果が掘り起こされ、さらに広げられた。

「ぼくの作品を見て、いつでも七夕のイメージと結びつけてしまう人々がいる。それだけでは、作者として不満なのだが」と、北山は私に話した。確かに北山作品は、七夕よりもはるかに多く、明暗さまざまなイメージの喚起力に富んでいる。

日本または東洋の伝説に無縁な欧米人が、北山作品を見て初めから愛着を示す例もすくなくない。

彼らは北山作品によって、どんなイメージを喚起させられるのだろうか。

　一九八二年のヴェネチア・ビエンナーレに北山が出品して以来、彼は日本よりも海外で発表する機会の方が多くなったほど、世界各地で高く評価されてきた。欧米人が見た場合、北山の作品はアクション・ペインティングの立体化だという解釈が成り立ちやすいようだ。たとえばジャクスン・ポロックが赤や青、黄の飛沫を奔放に散らばらせた大画面のイメージが、竹の枝と枝の間に点々と赤や青の紙をはった北山作品の自由な表現感覚と結びつくのだろうか。

　しかし私は北山が使う竹に、太い幹は全然なく細い枝ばかりであることを、人々がもっと深く考えてもよいだろうと思う。
　高さ七メートルにもなるほど巨大な作品でも、そこに太い竹

写真＝北山善夫「それらは私の記憶にとどけと呼ばれた」1990

は使われていない。だから構造は非常に柔軟なのだが、その半面はかなく崩れやすい感じもある。

京都アンデパンダンだったか、同じころのインパクト・アート・フェスティバルで北山の出品作が、会期中に崩れてしまった状態を私は見たことがある。その崩れやすさ、はかなさ、いずれは滅びて行く無常があるからこそ、私はひとしお北山作品が好きになったことも覚えている。

海外出品が増えてから輸送上の問題で、北山作品は頑丈になり、崩れやすい無常感はそれだけ薄れた。しかし依然として細い竹の枝しか使わない点で、北山は当初からの基本感覚を持続している。石彫やブロンズ像より木彫は、はかない。竹の枝ばかりが骨格をなす北山の作品はそれ以上にはかない。その無常感は現代美術の中で、もっと大きく見直されてよいだろう。現代文明に対する一つの無言の批評としても。


（『日本美術工芸』一九九一年九月号）

夕空と水も一体化　新宮晋の総合造形

兵庫県三田市の山間に、静かな湖がある。飲み水の水源として作られた青野ダムという人造湖だが、波音ひとつ聞こえない水の広がりは、周りのなだらかな山並みにすっかり溶け込んでいる。この湖畔で、よく晴れた初夏の夕暮れに、珍しい野外劇が開かれた。動く彫刻で世界に知られる造形作家、新宮晋が企画・制作した「たそがれシアター・キッピスと仲間たち」という。

とりあえず劇と書いたが、意外な造形と演技者が次々と現れた見せ場の全体は、動く彫刻の総合作品という方がよいかも知れない。「キッピス」と呼ばれる宇宙人をはじめ、「花の精」や「音車」など登場する人や物の形は、すべて新宮が作り出した。全部で十五場面の見せ場は演劇人、音楽関係者などの力も借りて演出効果を盛り上げていたが、それらを一つの流れにまとめたのは、やはり新宮の造形感覚だった。

湖畔の公園に円く浅い池があり、その中央に金属彫刻「水の木」が立っている。これが池の水を吸い上げて空中に撒き散らすとき、S字型に枝分かれした金属パイプのキラキラ光る動きと風に散る水のカーブが、微妙に行き違いまた出合う眺めは誰が見ても、しばらく時を忘れてしまいそうだ。

　これは一九九二年夏、青野ダムと上水道の完成を記念して永久設置された新宮作品だ。噴水彫刻は近ごろ珍しくないが、「水の木」は大小十四本の枝が別々の方向に回る仕組みで、優美な動きの変化はとても数え切れない。新宮はこの仕組みで、さきに特許を取った。

　それから二年。「水の木」を囲む山々、空と水の眺めを生かしてもっと変化に富む作品を、新宮は夢みてきた。主役の名前「キッピス」とは、フィンランド語で「乾杯」の意味だという。数年前に彼が、風で動く彫刻ばかりの野外展を欧米八カ国に巡回したとき、フィンランドで大歓迎されたことをしのばせる。

　キッピスが宇宙人だという想定も、風や水と結び付ている。自然のエネルギーを研究しながら、地球の上で暮らす生きものの不思議さを見つめる間に、もしもこの星に宇宙人が来たら何を感じるだろうかというシナリオがふくらんできたのだ。

　地上に「水の木」を発見した宇宙人が、これは水を作る木だと勘違いして確かめにきた後、地球の現状を観察して帰って行く。そのお別れに地球人を招いて開いたパーティーとして、たそがれにシアターが繰り広げられたのだった。

　当日のお天気は快晴。雨ならば順延の予定だったが「年間でめったに降らない日を選んだ」という新宮の予定通りになった。集まった人々はざっと一五〇〇人。まずリモコン・ヘリコプターが飛び回って「宇宙の種子」（紙風船）をまき、夕空の美しさに満場の目を引き付けたあと、全身赤ずくめのキッピスが地上に現れた。

池の周りを、ローラーブレードで走り回る。この主役は松下電工の若い米国人社員で、大学時代はアイスホッケーの選手だったという。ほかにも在日外国人が六人。いずれも休日に山の中で、マウンテン・バギーなどを楽しんでいるアウトドア・クラブの会員だ。

たとえば顔の前に大きな風車を立てて走る「風車自転車」。立体的に組み立てた四人乗り自転車で、ペダルをこぐたびに牧歌的な音を上げる「音車」。こうした見せ場で外国勢は、走りにくい石畳の上を新宮の作品になりきって回っていた。

一輪車で、浅い池の中まで入って行った「水の精」は地元の小学生たち。上半身に巨大な三角帽子をか

写真＝新宮　晋「Water Tree」1992

ぶって走り回り、生きた抽象そのものになった。やはり池の中で円舞した「花の精」、水面を色とりどりの球体で埋めかけた「風船」などの見せ場は、地元の少女たちが受け持った。

多くの場面に共通する特色は、円運動の変化だ。新宮の動く造形は、これまでほとんどすべて回転軸を使ってきた。軸から分かれて出た枝や羽根は、組み合わせによって実に意外な変化を展開することもあるが、基本は円運動にある。かつて新宮の作品が欧米巡回展の行く先々で、全く知らなかった人々からも喜ばれ親しまれた理由は、分かりやすい基本原理を新鮮な形で変化させたからだろう。

キッピスたちの円運動がこれまでの作品と違う点は、生身の人間が演じているため、不規則な動きが途中で加わったことだ。実際、一輪車で転んだ子もいたが、立ち上がってすぐに走り始めたとき、大きな拍手が起こった。計算できなかったほほえましい効果だ。

一般の人々から分かりにくいといわれ、敬遠されがちな現代美術の中で、新宮ほど幅広く親しまれている作家は珍しい。その特色をもう一つ新たに展開したキッピスたちは、現代美術の閉鎖的・独善的な風潮に対して、無言の批判にもなっていた。

（『日本美術工芸』一九九四年八月号）

優美な描写の限界破れるか三尾公三

　女の顔が大きく広がってそのままベッドになっていたり、壁や床に男の顔が溶けこんでいたり…、人や風景が肉眼では決して見えるはずのない状態で結びつき、または重なり合う。心の奥の、そんな情景を描く画家として、三尾公三は国際的に名高い。

　単にダブルイメージを描くだけならば、今日では少しも珍しくない。超現実主義を中心に、その手法で人々を驚かせ、想像力を刺激してきた画家たちは多い。奇抜なイメージの二重写しや合体は、テレビのコマーシャルでもいまや数え切れないほど登場してくる。

　三尾の場合、絵の具をエアブラシで吹きつけ、写真と間違えられそうなほど迫真的にイメージを浮かび上がらせるテクニックの洗練と、遠近または上下の関係が奇妙にゆがめられた空間を、ダブルイメージと結びつけたことに特色がある。

　重力に支配されている地球上の空間では、バランスを失えば下に落ち、または転倒するはずの人や物が、三尾の空間では不条理な静止を保っている。しかも、たとえば女の乳房にせよ、一輪の花にせよ、細部では生々しく実物らしいのに、全体としては一種の錯覚、または幻想であることがまざまざと分かるだけの効果をねらって、美しいがしかし奇妙にゆがめられている。

不条理にゆがめられた空間には、やはり不条理なイメージの断絶、または飛躍した結びつきもある。それに注意すると、三尾がゆがめているのは空間だけでなく、時間の流れにもはっきりと及んでいることが分かるのだ。

目は窓の外に向けながら、心の中では遠い日の情景を一枚の画面に美しく定着し、それに伴って生存の根源をひそかに問い直そうとしたことから、三尾の空間と時間は必然的にゆがんでいったのだ、とも思われる。

現代人の心の奥をのぞきこみ、そこに揺れ動くイメージの一端を浮かび上がらせる画面で、いまこの人をしのぐ画家は他にどれほどいるだろうか。

雑誌の表紙画家には、その時代を代表する人がしばしば登場する。日本画では『文芸春秋』の高山辰雄、洋画では『小説新潮』の猪熊弦一郎が、画歴の上で今日の両横綱かとも思われるが、現代感覚の新鮮さと一般の人気にかけては、『フォーカス』の三尾公三が最高だろう。

高山らの月刊誌に比べて、三尾の場合は週刊誌だから、仕事のサイクルが早すぎて消耗が激しい。そのために本来の勝負をかけてきた大画面の制作が低調になる恐れを、私は捨てきれない。一月に京都で開いた新作展について、三尾自身も『フォーカス』の悪影響が出ていないかどうかを気にしていた。

しかし不条理なイメージと空間の錯視効果自体については、一層洗練されたばかりでなく、新たな試みを加えた跡もあり、悪影響よりは充実した意欲が伝わってくる会場だった。

見なれない表現に出会うとき、いきなり全体的に共感できることは、私の場合めったにない。三尾の錯視空間を私はほぼ二〇年前からいろんな機会に見てきながら、かなり深く心を引かれる一方で、わずかだが違和感も残してきていた。その違和感をさっぱりと忘れて見られる作品に、こんど初めて出会った。無意識の奥の錯綜した感情を、三尾の新作のいくつかによって、郷愁とショックがないまぜになったまま呼びさまされたのである。充実した放心状態が、そこにあった。
違和感が消えた後に新しく注文をつけたくなったのは、私が欲ばりすぎるだろうか。そ

写真＝三尾公三「新作」1987

れは三尾の空間に、不条理な暴力の暗示と、それに対する痛切な凝視の感覚があってよいのではないか、ということだ。

三尾は一九二三年生まれ、短期間だが陸軍少尉だったこともある戦中派なのだ。いまは平和な日本人の日常に重くひそんでいる戦争の記憶、いまも戦争状態にある国々の絶望的な心の奥を、三尾の世代ならば深くのぞきこむことができるはずではないか。錯視空間にダブルイメージを描く画法が、現代の不条理を表現するのに適していればいるほど、この画家には幅の広い意味で「時代の証人」になってもらえないか、と私は思う。

参考例が一つ、ウィーン幻想派の画家たちの中にある。一九一四年生まれのルドルフ・ハウズナーだ。ゆがみ絵で不条理な心理の奥を探る技法は三尾と近い。しかし孤独感、または違和感を優美に描く三尾に比べて、ハウズナーは破壊された人間性を直感させる点が、文明批判として生々しい。とくに戦争や武器のイメージを描いてなくても、鋭い凶器や、世界の終わりを予感するともみえる解体または荒廃の描写を通して、象徴的な暴力への凝視が伝わってくる。

バラの茎にヒマワリの花を咲かせてほしいと、三尾に注文するつもりは、私にはない。しかし三尾の素晴らしい錯視画法を豊かな土壌と考えられるなら、いままで咲かせてきた美しいバラのほかに、そこにたくましいヒマワリの種子をまくことも試してほしいのだが。どうだろうか。

（『日本美術工芸』一九八八年四月号）

横尾忠則の多彩な表現貫く共振志向

マルチ・アーチストとでも呼びたくなる程に、近年の横尾忠則は幅広く多彩な制作を続けている。

一九八五年に彼が出品した主な展覧会を、開催の早かった順にあげてみると―

国際ポスター展一九八〇―一九八四（東ドイツなど）

現代版画の軌跡展（福島県）

パリ・ビエンナーレ国際美術展（フランス）

日本の前衛と未来展（イタリア）

横尾忠則セラミックとビデオ展（東京）

サンパウロ・ビエンナーレ展（ブラジル）

世界のトップアーチストプリント２０人展（東京・京都）

これらの中でとりわけ注目されたのは、リサ・ライオンをモデルに使った一連の作品だ。リサは米国人としては小柄な女性だが、裸になると男でも負けそうなほど素晴らしい筋肉美を見せる。女性ボディービルの第一回世界コンテストで一位になり、女体美に関する通念を大きく変えさせた人物だ。

　横尾は一九八四年の中ごろから、絵でも写真でも集中的にリサを使い始めた。リサの女体が発する新しいメッセージを、そのまま再現するわけではない。横尾自身の内面をリサのイメージと重ね合わせながら、従来の方法では捉え切れなかった生命感の表現を、さまざまに試みている。

　話題作の一つは、一九八五ユニバーシアード神戸大会のポスターだ。この画面では、全裸のリサが少し足を開いて立ち、右手を前に突き出し、左手の拳を顔の後ろに上げている。そのポーズを、やや下から見上げる角度でとらえたため、リアルな写真ならばセクスがはっきりと見える構図だ。これがスポーツのポスターとしては、大胆すぎるともいわれ、性風俗に厳格な回教国には送付されないことになった。

　しかし、大胆なポーズといっても、横尾の画面処理にポルノグラフィックな淫らがましさはない。青空を背景に立つリサの全身は逆光でとらえられ、その大半は空の色よりもやや暗い青で塗りつぶされた。光の当たっている部分は赤と金色だが、真夏の日ざしよりは秋の夕日に近い色調に抑えられた。全体としては、スポーツ用品のコマーシャルなどにありがちな単純なたくましさ、さわやかさとは次元の異なる、多義的な人間像を感じさせる。

　リサと会う以前から横尾がしばしば描いてきた人物は、三島由紀夫だ。三島は小説家として大成しながらそれに飽き足らず、私兵とともに、自衛隊を襲って切腹死した。その理由は十分に解明されないいまま、三島の小説はいまでも人気がある。横尾は仕事の関係もあって生前の三島と親しかったが、その死後に彼を描き続ける理由は何だろう。単純に解釈することはできない。横尾がいまや日本を代表する画家として海外から評価されているにもかかわらず、国内で必ずしも十分な評価を受けていないのは、わが国の文化の上で三島の位置づけが十分になされていないこととも関係があるように思われる。

三島もリサも、初めは弱々しかった自分の肉体をボディービルできたえ上げた。しかし、それだけの理由で彼らを横尾が絵のモチーフに選んできたわけでないことは、破壊的な程に荒々しい描写、不条理としかいえない画面空間の錯綜によって明らかだ。

写真＝横尾忠則と三島由紀夫を描いた自作

横尾と最近会い、初めて差し向かいで話を聞くことができたとき、彼は「人間のデモーニッシュな側面をとらえたい」といった。「無意識の奥を探って表現したい」ともいった。ユングの心理学、ユダヤの白魔術などの話を聞かされかけたが、それについて行ける予備知識が私の方になかった。しかし、私にも自分なりに理解でき、好感を持てた一語がある。それは「共振」だ。

横尾は、こんないい方をした。「一つの技法や表現手段にこだわらず、私は自分の好きなようにいろんな手段で表現を続けたい。いまは芸術と思われている一般の表現行為は、いずれ消えてしまう時代が来るだろう。そのときには誰もが自己表現をして、お互いに共振し合えばいいのだと思う。人間として共振できる作品を、私は作って行きたい」

（『日本美術工芸』一九八六年二月号）

大衆社会の人間像　実感描く絹谷幸二

人間の中身って何だろう。絹谷幸二の描く男や女たち、とりわけその顔から頭部を見ると、いつもそう考えさせられる。

いったんバラバラに解体してから寄せ集め、組み立て直したような顔なのだ。頭は完全に組み立てきれなかったままハリボテの骨組みや、こわれた部品の断片らしきものをのぞかせたり、水がたまっていたりする。

悲劇的な人間崩壊図として描けば、どんなにでもグロテスクな画面になるだろう。しかし、スピーディーな筆触にも、楽天的な赤や黄の色彩にも、深刻な悲劇としての訴えはない。

マンガのセリフを書く手法─吹き出しに近い書き方で「あ、あ、あ」「Ｖｉｖａ（ばんざい）」といった文字、音符などをにぎやかに散乱させてあるため、崩壊人間たちはそれなりに楽しんでいるのか、とさえ思われる。

絹谷の画風に私が興味をひかれたきっかけは、日本青年画家展だった。一九八四年の第一回から八八年まで毎年出品し、優秀賞を三回受けている。絹谷の画面は毎回面白く、遠くからでも一目で分かる異彩を放っていた。それに引かれて近づき、よく見ると、単に面白いだけではない迫力がある。何だ、これは、と見るものに反発させながら考えさせる力があるのだった。人間の中身なんて、現代の風俗現象の中でとらえるならば、こんなものかもしれないな…と。

二十世紀前半の精神像を虚無的なブラック・ユーモアとともに見つめた英国の詩人T・S・エリオットの一句を、私は絹谷の絵の前でしばしば思い出した。

「おれたちはうつろな人間

中にはワラが詰まってるだけ…」

と、エリオットは若い日の作品に、自虐もこめて書いている。「うつろ」という自覚をストレートに記す感覚は、文化が知識人のものであった時代にはスムーズに共感を集めたと思われる。学生時代の私がエリオットに共感したとき、それは今世紀なかば過ぎのことだが、人間の精神を「うつろ」と嘆く感覚にまだ実感がこもっていた。美術ではビュッフェ、ジャコメッティらが、私にとっては、エリオットに近かった。

いまは違う。人間の空洞化、精神の崩壊を嘆いてみせることは、それだけならば愚鈍に見えるほど当たり前のことになってしまった。いまさら「うつろ」な人間を深刻なポーズで描いてみても、見飽きたオールド・ファッションという感じを禁じえないのだ。

それにこだわることは誠実に違いないが、地球規模の大衆化現象が選んだ二十世紀末の現在では、それにふさわしい表現でなければ今様の実感をとらえ切れない。
絹谷の画風がいま面白く、人気も高いのは、悪くいえばゲテモノ趣味が強すぎる画風を確立したことによって、現代の大衆社会の実感をさぐり当てているためと思われる。

あらためてそれを確かめる機会に最近めぐりあった。五月から九月にかけて全国五会場を巡回中の絹谷幸二展である。私は大阪会場で見た。
会場には一九六六年から今年までの画業が、油彩中心に九〇点出品された。東京芸大の大学院を修了したのが六八年だから、在学中の作品も含めて二十五年間の歩みを振り返ったことになる。
初期の作品は青年期の心象風景として完成度が高い。実在感の希薄な人体、その周囲の大きくゆがみながら揺れる空間…白を多用した画面全体に血の気が薄く、感情が屈折している。

写真＝絹谷幸二「アリエッタの肖像　1990

一九七一年のイタリア留学以後、はっきりと画風が変わる。赤、黄、緑といった生々しい色の対比を生かし、一方で、なかばこわれた物のイメージ、明暗も遠近も理屈に合わない不条理な空間が、大胆に示される。血の気―生命感と不条理な破局感が共存する。これを突き進めた作品「アンセルモ氏の肖像」(一九七三年)で、絹谷は安井賞を受けた。この画面では「W」「あ」などの文字が現れてきたことも重要な特色だ。

人体、とくに顔を強引に崩したり合体させる画法の上で、絹谷はピカソの影響を大きく受けている。会場の説明パネルには、それを率直に告白した本人のことばもあった。変形と合体だけにのめりこんでいけば難解になりすぎる恐れもあるが、それにブレーキをかけ、大衆的な親近感を忘れずに取りこんでいるのは、目や口のチャームポイントに生々しい肉感性を表す描き方だ。こうした配慮は、確かにピカソも忘れなかった。

この人がピカソの亜流に終わらず、独自の絹谷調を確立しているポイントは、文字や記号の多用とともに東洋的な無常感を探りつつあることだ。それは一方で仏像や経典のとらえ直し、一方で公害や事故のイメージとつながっている。しかし、まだ十分に成功しているとは思えない。すでに日本芸術大賞、毎日芸術賞なども受け、人気絶頂ともいえる画家だが、現代の精神像を描きつくすためには、とりあえず環境破壊の現状を、もっと深く見つめる必要があるのではなかろうか。

(『日本美術工芸』一九九〇年八月号)

アバカノヴィッチ　戦争体験から問う「不条理」

学校の「いじめ」から民族の虐殺まで、不条理な争いがこの地上に絶えたことはない。なぜ人間は憎み合うのか。それに耐えて生きることはつらいのだが、不条理を見つめることによって、心の結び付きを少しでも取り戻す事ができないだろうか。ポーランドの女性彫刻家マグダレーナ・アバカノヴィッチの作品からは、そのような問いかけが深く重く伝わって来る。

一九三〇年生まれ。九歳のときに大戦が始まり、流血、逃亡、家族離散、悲しい再会。

「四方から攻撃されて、母と私と姉は路上に身を伏せていた。みんな逃げ始めた。私たちも逃げた。突然、群衆の中に一人残されてしまった。だれ一人として知った顔がない」「ある日、やけどでまったく顔を失った人が運ばれて来た。その人は口を開けてずっと叫び続けていた。その叫びは死ぬまで続いた」

当時の回想が今回の展覧会カタログにある。日本人でも第二次大戦で悲惨な体験をした人々がそれを読めば、他人事とは思えないだろう。本紙（朝日新聞）手紙欄で「女たちの太平洋戦争」が戦争を知らない世代にまで反響を呼んでいることから見て、アバカノヴィッチの言葉と作品は親と子、先生と生徒の間でも、戦争と人間を考える貴重な機会になるのではなかろうか。

八〇年のヴェネチア・ビエンナーレ国際美術展。ポーランドを代表して参加したアバカノヴィッチは、自国のパビリオンを二つの巨大作で埋め尽くした。不気味なジャガイモの異常増殖か、とも見える大小八百もの魂を床に広げ積み上げた「胎生」。肩から太ももまでしかない人体の抜け殻ばかりを大量に並べた「背中」。

いずれも深刻な戦争体験を踏まえながら、その奥にある人間の不条理を凝視した作品である。当時のポーランドがおかれていた状況を思うならば、この展示は実に衝撃的だった。それだけに反響も最大級で、彼女の評価は決定的に高まった。

美術が評価される決め手は、作品の政治性・社会性ではなく芸術的な独創性にある。アバカノヴィッチが画期的だったのは、布を使った彫刻ともいえる繊維造形に、新たな表現分野を開拓したことだ。その造形実験はすでに六〇年代から始まっており、染織作家の間に革命的な変化を巻き起こしていたが、八〇年のヴェネチアでは現代美術全体の中で、評価をかち取ったのだった。

その後彼女は木、ブロンズや石なども使い、体験の奥に潜む無意識の世界から太古の記憶を探り出すような作品へと制作範囲を広げてきたが、深い沈黙とともに不条理を見つめる作風は一貫して変わらない。

展示は七月七日まで滋賀県立近代美術館（〇七七五－四三－二一一一）で。月曜休み。続いて水戸市巡回後、九月十四日から十月二七日まで広島市現代美術館で。美術ファンだけでなく、いま生きていることの意味を考えたい人々のだれもが、一度は見ておきたい展覧会だ。

（朝日新聞文化面、一九九一年六月一日）

写真＝アバカノヴィッチ「Figs.81」1975

クリスト　楽しませ十九日で消えたアンブレラ

稲刈りが済んだ後の田んぼは、淋しくなるものだ。しかし「アンブレラ（傘）」が展示された地域一帯は、お祭りのようだった。

茨城県の山間地、里美村から清らかな里川に沿って、下流の常陸太田市まで十九キロの区間。そこに十月九日から三週間の予定で、ブルガリア生まれの造形作家クリストの風変わりな作品アンブレラが一三四〇本立てられたのだ。

これは日米同時進行の野外展示だった。運悪く米国で二十六日、強風に吹き飛ばされたアンブレラで見物の女性が岩にたたきつけられ、死ぬという事故が起こった。その翌日、日米とも展示を中止。予定より三日早い撤収になった。日本では撤去中のクレーン事故で一人死亡。お祭りは暗転してしまった。

しかし展示中、日本では五七万六千人訪れた観客が楽しんでいたことも伝えて、その意義を考えておきたい。

写真＝田園地帯に立ち並んだクリスト「アンブレラ」と、
その下で遊ぶ子どもたち

アンブレラが茨城県下で十九キロの区間に立てられた場所は野道の脇、田んぼの中、竹藪の入り口、咲き乱れる花々や果樹園の近く、橋のたもとから川原の砂の上、流れる水の中までと多様であり、遠くに目を向ければ山並みの緑の間にも、点々と散らばっていたのだ。

アンブレラを広げた大きさは、普通の雨傘の二〇倍以上ある。高さ六メートル、開いた布の直径が八・六六メートルだ。真ん中の支柱が低ければ、テントの代わりにも使える。四角い台座に腰かけて下から見上げていると、気分がひとりでにくつろいでくる。

この下でパンや、おにぎりを食べている人たちがあちこちにいた。みんな楽しそうで、その光景は春の花見に近い感じだった。花より団子。桜の花を見るより、花の下で飲んだり食べたりする方が楽しい、という気分だ。

お昼すぎに私も一人でアンブレラの下に座り、昼食を食べた。幹線道路を行く人々から、その声がわずかに聞こえるくらいまで遠ざかった刈り田の中だった。実はこれを楽しみたくて、常陸太田市内から貸自転車でスタートする前に、スーパーで海苔巻きの寿司と茸ごはん、蓮根の油いためとソーセージを買ってきたのだ。その店になかった缶ビールも、展示コースに入ってから間もなく見つけた酒屋で買うことができた。

小春日和の静かな日ざし。小川の岸に、倒れかけながら咲いているコスモス。田んぼのひび割れた土の上を、音もなくはねて行く小さな蛙。離れたアンブレラの下で子どもたちが遊んでいる。その近くの柿の木は葉がほとんど落ちて、赤い実だけが枝先に光っている。

ささやかな昼食だったが、その間私の目も心も、長い間忘れていた田園風景の健康な平凡さを、ゆっくりと味わうことができた。その視野の中にアンブレラがなかったら風景はあまりにも平凡すぎて、そんな場所で野外の昼食を楽しむことなど全く頭に浮かばなかっただろう。

クリストのアンブレラが入りこんだことによって、それまでの風景に新しい味わいが生まれた。その効果を、クリスト効果と呼んでもよかろうか。

自転車を走らせながら感じのいいアンブレラが見つかるたびに、私は停まって写真を撮った。その撮り方は、昼食の前と後で少し変わったように思う。クリスト効果は平凡な場所にこそ、はっきりと現れるようだ。海苔巻きを食べ、缶ビールを飲んでいる間に、私はそれを悟った。

日本と同時期にアメリカのカリフォルニアでも、一七六〇本のアンブレラをクリストは立てた。両国合わせて二〇〇〇人近い人々が作業を手伝った。「土地が貴重な日本側では、傘は密集し、寄り添って、時には幾何学的な田んぼの区画にあわせて配置されている。豊かな水が一年中豊富な植物を繁がらせるこの地域の傘は青色である。一方、広大で人の手が加えられていない放牧地の広がるカリフォルニア側の傘の配置は、気まぐれに、さまざまな方向に展開されている。乾燥した風景の中、草が金色に輝く土色の丘の傘は黄色である」と、作品解説が発表されていた。

私が見たのは日本側だけだ。それでも山道を含む一九キロの展示区間を自転車で回ったら一日中かかって、帰り道は途中から日が暮れてしまった。それほどスケールの大きい展示が、終われば跡かたもなく撤去されてしまうことは、最初から決まっていた。

「この辺の子たちはすっかりアンブレラが好きになって、毎日この下で遊んでるのに。これがなくなったら淋しくなりますねえ。残しておいてもらえないかなあ。」私が子どもたちの写真を撮ったとき、残念そうに話してくれたのは、どの子のお母さんだっただろうか。

（『日本美術工芸』一九九一年一二月号）

開かれた美を探るラウシェンバーグ

「ごみ捨て場歩きが好き」と言い、拾った廃品までも「コンバイン（結合）」してしまう美術作品で名高い米国人作家ロバート・ラウシェンバーグが、第二回ヒロシマ賞を受けた。

　この人は一九五〇年代の後半から世界の美術ファンに目を見張らせ、激しい反発も受けたが、時の流れとともに多くの人々を引き付けてきた。六四年のヴェネチア・ビエンナーレ最優秀賞を獲得して以来、二〇世紀後半の美術を代表する作家の一人として、活躍を続けている。

　それに比べてヒロシマ賞は、まだ日本の国内でも知らない人が多い。だから、この賞をラウシェンバーグにと決めた選考委員会では、彼が受けてくれるだろうかと案じる声も出ていた。『喜んで』という返事をもらったとき、関係者たちの喜びは、それ以上に大きかったかもしれない。

　ヒロシマ賞とは、現代美術を通じ平和を世界にアピールするため、広島市と朝日新聞社など四団体が一九八九年（平成元年）に設けた賞だ。地方都市としては異例なことだが、その「概要」に書かれている「目的」は、次のように地球規模の広がりを目指している。

「最初の被爆都市として世界の恒久平和の実現を願う広島市が希求するところを、現代における美術の領域においても広く世界に知らしめ、人類相互の理解の促進に努め、もって世界平和と繁栄に寄与する」

受賞は三年に一回。第一回は、地元出身のファッション・デザイナー三宅一生が受けている。このとき有力候補に残ったのは韓国出身のビデオ作家ナム・ジュン・パイク、ポーランドの立体作家マグダレーナ・アバカノヴィッチだった。

ラウシェンバーグの「コンバイン」は、それ以前の美術の「美」またはファイン・アートの「ファイン」を、きびしく問い直すことから出発している。洗練された技術や伝統的な教養から生まれた「美」、歴史の上で権威づけられた「美」だけでなく「ガラクタにも、それなりの美があるではないか」と、ラウシェンバーグはいう。美を差別化しない。同じ感覚で民族、階級や貧富の差も超えて通じ合う表現、開かれた美を探ってきた。

日本の伝統美では、洗練と教養が何より重んじられる。その典型は日本画だ。とりわけ広島では、東京芸術大学の学長で日本美術院会員の平山郁夫の出身地という事情もあり、日本画が大切にされている。この土地でラウシェンバーグの作品が持つ意味が十分認められるまでには、時間がかかりそうだ。

たとえば一九六四年に来日した彼が、東京の草月会館で公開制作した「ゴールド・スタンダード」。

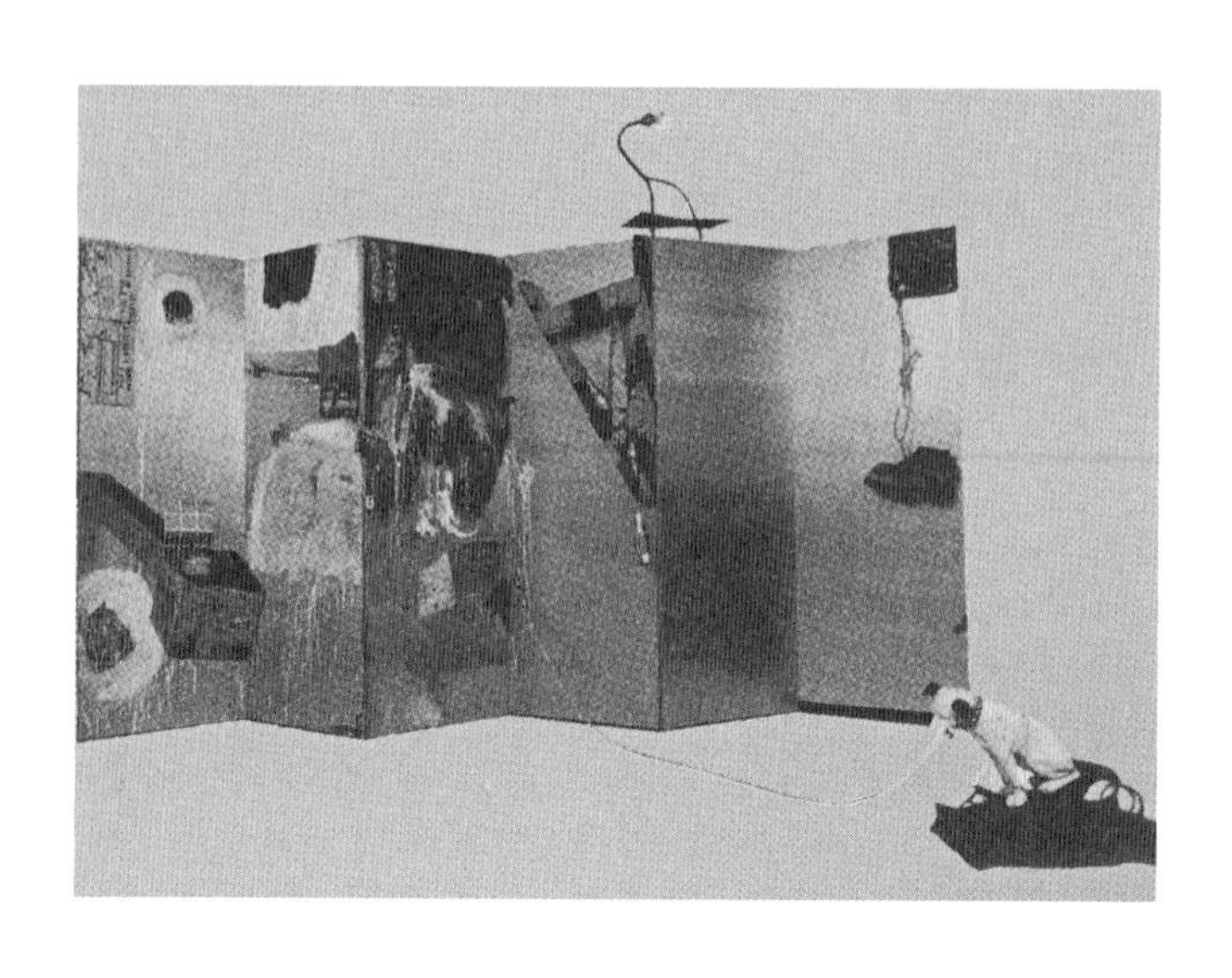

金屏風にたっぷり絵の具をなすり付け、垂れて流れた跡をそのまま残したほか、古靴をぶら下げたり照明器具の廃品を取り付けたり、真ん中から垂らしたひもを犬の置物にくくりつけたりしてある。金屏風にまつわる伝統的美意識、晴れの場に飾られてきた儀礼感覚の重みを、全く無視した作品だ。これを日本画の好きな人々が初めて見たとき、単純に共感できるかどうかは分からない。

広島市現代美術館が開いたラウシェンバーグ受賞記念展の初日、彼が入場者の一人に感想を尋ねたら、こんな答えがもどってきたと、通訳担当者から後で聞いた。「この絵かきさんは、日本のことをよう知らんのでしょうな」。

私の場合、感想はもっと複雑だ。この作品を実物で見るのは今回の記念展が初めてだった。

写真＝ラウシェンバーグ「ゴールド・スタンダード」1964

写真では以前から知っていて、それを見た限りでも型破りのエネルギーに驚かされた半面、いくらかの反感も含む違和感が拭えなかった。写真とともに伝えられた作品説明や作者紹介だけでは理解しきれなくて。これも「アート」だろうが、「ファイン」という形容詞は外す方がよくはないか。そんな疑問も残った。

開幕日の午後、同じ館内のホールでラウシェンバーグと評論家、篠田達美の対談があった。篠田がまじめに質問すると、作家はほとんどジョークで答える。私は彼の作品を真剣に理解したいと思っていたのだが、その手掛かりがジョークからは、なかなかつかめない。しかし答えながら彼は、実によく顔をほころばせた。静かな笑いだが、その笑顔がとてもいい。対談の相手より聞き手の私たちに向かって、以前から友達だったたような感じで話してくれた。

少々しわの寄った地味なスーツ。ネクタイなし。上のボタンを外したままのシャツ。晴れ着にしては粗末とも気楽とも見える。「がらくたでも、それなりに美しい」という「コンバイン」感覚にとっては、ふだん着も晴れ着も区別がないのだろうか。現代美術の巨匠といわれて久しい人だが、威張った気配がどこにもない。目が実にみずみずしい。服やシャツのしわも、動きやすそうで若く見える。六十八歳というが、こんなにしなやかな年の取り方もあるのだ。

いつの間にか私は「ファイン」への疑いを忘れていた。対談の後、作品の間へもう一度足を運んだ。勢いよく汚され、がらくたと組み合わされた金屏風の前で、もし自分が作者だったら、これに何をしただろうか。

「コンバイン」が始まる数年前の初期作品に、白一色、または黒一色の大画面がある。その極端な凝縮から、金屏風前後の途轍もない発散まで、がらくた取り込みの跡は変化に富んでいる。自分にとって、何が「ファイン」かを問い直すラウシェンバーグの率直さが、個々の作品の美醜を超えて迫ってきた。三十年後のいまでも、これは生々しい。

（『日本美術工芸』一九九四年一月号）

告発さまざまにアパルトヘイト否・国際美術展〈京都〉
——深く熱く描く怒りと悲しみ

ソウル五輪（一九八八年・要確認）からも締め出されたほど、人種差別のひどい南アフリカ共和国の「アパルトヘイト（人種隔離政策）」に反対するユニークな国際美術展が、二〇日まで京都市美術館で開かれている。今年六月に沖縄からスタートして北海道や新潟などを巡回し、京都市はちょうど五〇回目の展示会場だ。

三四か国から八一人の作品が一五四点。内容は一点でたたみ八畳分もあるほどの巨大な絵をはじめ、布や金属の立体、レリーフや版画、ポスターなど実に多彩だ。「アパルトヘイト否（ノン）・国際美術展」と題されているが、主張にこだわらず、人間としての表現に徹した作品が多い。まず美術として見ごたえがある。

丸太を組んだ枠の中に、背中をまげてうずくまった人体の皮だけが見える。粗い布を固めて、中身の空っぽな人間を表現し続けてきたアバカノビッチ（ポーランド）の作品。佐渡島の体育館で展示されたとき、この周りに集まった子どもたちが全員、同じポーズでかがみこんでしまったという。

ブッリ（イタリア）は横二五〇センチ、縦一五〇センチの大画面をすべて、ヒビ割れた土のような亀裂で覆った。京都府美山町の展示では、これを見た老人が「田んぼの水は涸らしたら、あかん」と呟いたそうだ。

二人とも世界的な作家だが、それほど知られていない人々の作品も見ごたえがある。ル・パルク（アルゼンチン）の静寂に満ちた抽象平面や、リュス（オランダ）の苦渋が内向した立体は、さまざまな暗示を試みながら深く問いかける。

もちろん明白な人権感覚で、熱っぽく問いかける作品は少なくない。南アフリカ生まれで英国に住むヤンチェスの版画連作やポスターでは、鉄条網の向こうに立つアフリカ人や、膝をついて働かされる黒人女性らしいシルエットなどが胸をつく。南アの隣国モザンビークのマランガターナは、地獄のようにひしめき合う人体の群像を描き、怒りと悲しみをぶちまけている。フォステル（西独）の八畳を超える大画面は、拷問と虐殺の現場を生々しく表現して迫る。

「アパルトヘイト」の実態を知らずに見ると、怒りや憎しみの生々しい表現を理解できない人々もいるだろう。その場合、理解を深めるための大きな手掛かりがカタログだ。読み応えのある文明批評と人間論、歴史的資料がぎっしりと入っている。

執筆者一五人のうち、たとえば詩人の大岡信のアパルトヘイトに対する嫌悪感はストレートだ…

「一見まったく白人としか見えないカラード（混血）出身者でも、髪の毛一本の縮れ具合によって即座に白人社会からつまみ出す（中略）忌まわしさの極みと言うしかない」と。
　巻末の国連資料を見ると、南アでは人口の一五％しかない白人が、七三％近いアフリカ人や残りの有色人種を差別している実態が、悲しいほどよく分かる。住める土地や結婚、教育、賃金などの差別に加えて、乗り物やレストラン、映画館などでも差別が徹底しているのだ。
　英国の歴史家バジル・デビドソンと、フランスの哲学者ジャック・デリダが、そのような実態をきびしく批判した論評は、人類の歴史と文明の明暗を深く考えさせる。またフランス人生物学者アルベール・ジャカールは遺伝学の立場から、人種差別に科学的根拠がないことを指摘している。小説家たちでは南アのアンドレ・ブリンク、ブラジルのジョルジュ・アマード、フランスのミシェル・ビュトールらによるエッセーが鋭い。
　この美術展は来年末まで計五〇〇日間で日本全国をさらに巡回する予定だ。各地の住民が自主的に会場を探し、そこでの展示を運営するという方式も新しい試みだ。それがどこまで成功するかによって、日本人の精神内容も問われている。（吉）
（この後は年内に三重県内、箕面市、奈良県、和歌山県内などを回り、来春は四国、中国地方、来年一一月には大阪市を巡回する予定。全国事務局は〇三—四六一一—三九四七
（朝日新聞夕刊文化面・一九八八年一一月一八日）

パリで覚った黒の奥深さ—松谷武判展

（二〇一一年五月二八日—六月二六日、第一会場京都市北区江寿コンテンポラリーアート
第二会場京都市北区瑞雲庵）

一九七二年に解散した「具体美術協会」は、それ以後パリのポンピドー・センターや、ヴェニス・ビエンナーレなどで国際的に見直され続けてきた。「具体」の元会員でとりわけ国際的実績が豊かだった白髪一雄、田中敦子は近年続けて世を去り、昨年秋には元永定正が後を追った。それに次ぐ世代も太平洋戦争中に育った人々だから決して若くはないが、その中で松谷武判（七五）は世界各地のさまざまな企画展に出品が途絶えず、昨年は京都の二会場を使う回顧的な個展が目についた。以前の展示では二〇一〇年に神奈川県立鎌倉近代美術館で開いた「松谷武判——流動」が規模も内容もよく行き届いていたが、今回の京都展では二つの会場に洋風、和風と全く対照的な建築を選び、初期から最近までの変化の跡を際立たせる演出が目を引いた。

「今までにないものを作れ」

松谷は大阪市立工芸高校の日本画科で学んだが、それ以前から続いていた病気のため中退した。

闘病生活は通算八年。その間も美術に対する情熱は衰えず、住んでいた西宮市の市展では日本画部門の市長賞を受けた。一九六〇年から「具体」の協会展に出品を開始。三年後、接着剤のボンドを盛り上げたレリーフ状画面の独創性を認められて、会員に推挙された。その作品は、会のリーダー吉原治良が一九五四年の発足当初から「今までにないものを作れ」と言い続けた変革精神に、松谷が発奮して「がむしゃらに作った」「物質と自分なりの対話をした」跡だ。

フランス人美術評論家で早くから「グタイ」の活動を評価していたミシェル・タピエも、松谷作品について「こんなマチエール（素材）は見たことがない」と頷いた。それほどまで当時の美術常識から突き抜けていた造形感覚を今回の京都展で伝えた一例が「WORK—63—K」だ。

それから五十年ちかく過ぎた今は、かつてショッキングだった実験感覚が懐かしく見える。松谷に限らず「具体」の会員一人一人が競い合って開拓した造形の新たな領域は、いまや美術で自己表現を目指す人々にとっての共有財産になっている。

世界を見渡せば、二〇世紀の美術に続々と現れた新奇な流行は、多かれ少なかれ「具体」と同じような役割を果たしてきたのだった。突出した流行が見られない現在、あれほどまで独創性を競い合ったエネルギーはどこから出てきたのだったかと不思議にも思われる。

しかし近代以降の企業社会では自動車にせよパソコンにせよ、性能から値段、デザインの「すみずみに至るまで、他社に少しでも差を付けて勝つ「差別化」が、最大の目的にされてきたのだ。

二〇世紀美術で流行の交代が激しくなりすぎた原因は、美術市場も企業感覚に巻き込まれた結果の「差別化競争」にあったのではなかったか。その過程で、表現上の「差をつける」意識が「独創性重視」と思い込まれたような早合点、または自己欺瞞があったかも知れない。そう考えながら二一世紀の美術を展望するならば、混迷と見える現状は、近代以降の独創性至上主義を問い直しつつある途中だと見なしてよいのかも知れない。企業社会ですら最近はドルもユーロも低迷し続け、「競争」か「共生」かを問う潮流が地球規模で動き出しつつあるのだから。

油絵具とは異質な黒の東洋美

松谷は一九六六年、フランス政府の留学生選抜とタイアップした毎日美術コンクールで、大賞を受けた。それによって実現したフランス留学の期間は半年間だったが、以後アルバイトの苦労も重ねながらパリに住み着いて、今年で四五年目になる。留学生だった間に版画の修業を始め、一九六九年にはフランス、カナダ、オーストリア、スペインそれぞれの版画コンクールに出品し、いずれも受賞したほど技を磨いた。一時は休止していたボンド作品も、版画制作に取り込みながら再開した。

版画の成功で暮らしに余裕が生まれた結果、新しく取り組んだドローイングでは、想定外の世界が開けてきた。具象的なイメージは全く入れず、抽象的な空間分割をすることもなく、画面全体を鉛筆でひたすら黒一色に塗りこめ続け、その結果たどり着いた世界だ。それは、表現要素を最小限まで抑えたミニマルアートの画面に一見近い。しかし、柔らかな黒鉛筆による線の集積で成り立った画面から、光の当たり方によって息づくような揺らぎが見えてくると、奥深い東洋的な生命感がそこに漂い始めるのだ。その静まり返った美しさには、無数の線を延々と引き続けた手の痕跡が全く微妙に響き合っている。

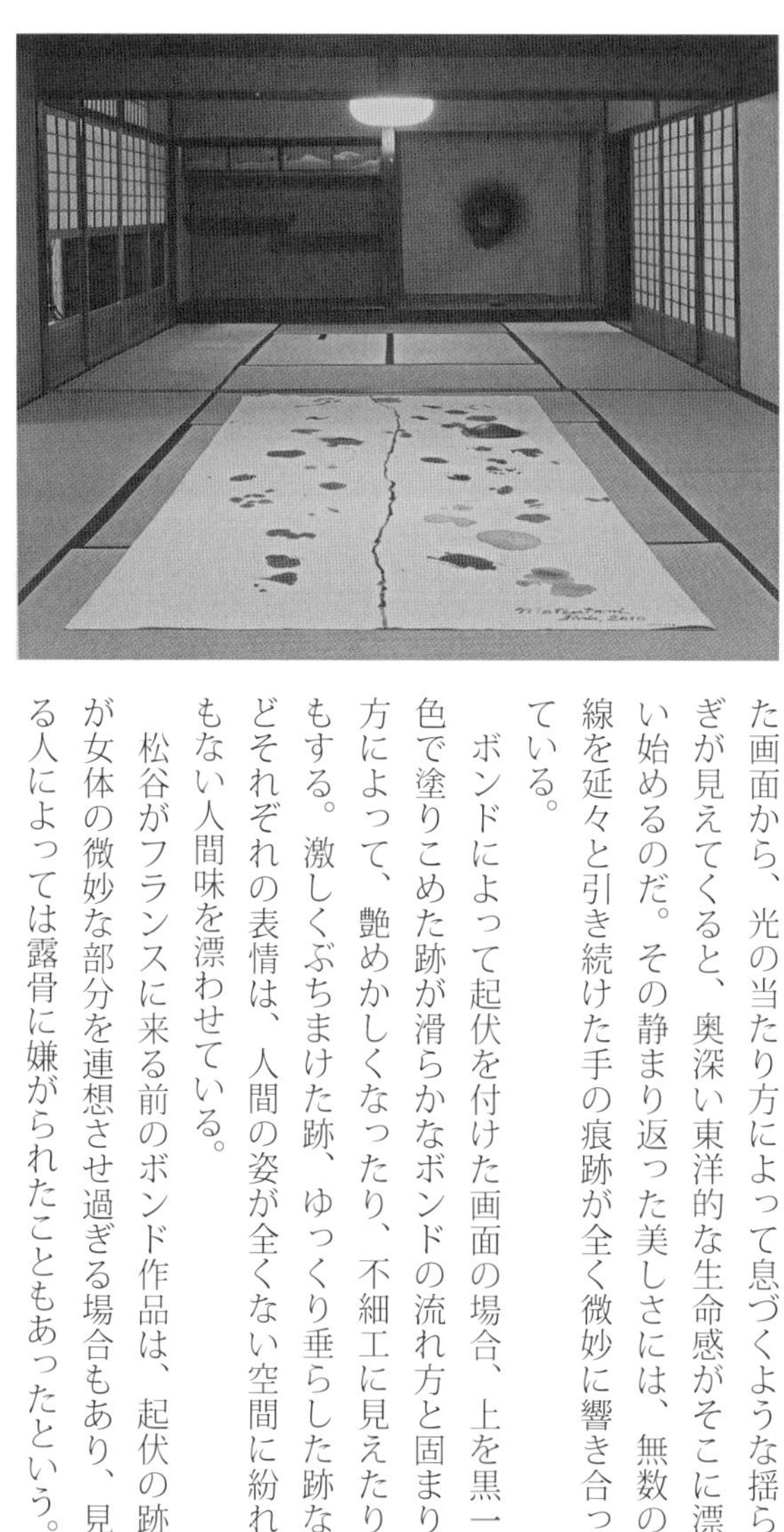

ボンドによって起伏を付けた画面の場合、上を黒一色で塗りこめた跡が滑らかなボンドの流れ方と固まり方によって、艶めかしくなったり、不細工に見えたりもする。激しくぶちまけた跡、ゆっくり垂らした跡などそれぞれの表情は、人間の姿が全くない空間に紛れもない人間味を漂わせている。

松谷がフランスに来る前のボンド作品は、起伏の跡が女体の微妙な部分を連想させ過ぎる場合もあり、見る人によっては露骨に嫌がられたこともあったという。

写真＝松谷武判が京都・洛北の瑞雲庵で展開したインスタレーション 2011

しかしパリで、ボンドの起伏表面と鉛筆ドローイングとの複合を進め出してからの作品は、とりわけ幽玄な黒の起伏から、瞑想的な静寂がじっくりと伝わってくることで注目されてきた。

今回の展示で第一会場の洋風建築には、五〇年前から最近までの平面作品から変化の跡を明らかに示すものが並べられた。風雅な和風建築の第二会場では、墨と和紙による最近の大作が大広間の畳の上に広げられ、奥の床の間で壁面一杯を覆った沈黙の深い作品と対応させたインスタレーションで工夫をこらした。両者とも描くよりは墨を垂らし、または滲ませた跡の変化を生かし、偶発的な効果まで取り入れていた。

「本質的な問題意識を求められるヨーロッパでは、持久戦で自分を見せて行かないと通用しない」と松谷はいう。長いパリ生活の間に悟ったのだった。その結果「具体」本来の変革精神を貫き続けながら、「黒」の濃淡に描き手の内面を偲ばせる東洋の伝統的美意識を、問い直し続けている。

「墨に五彩あり」と伝えられてきた古人の色彩感覚を、松谷は現代人として自分の黒の変幻に取り入れながら、新たな展開を探り続けている。それを私たちは自分も現代人としての感覚で、確かめて行きたい。その追求が、二一世紀美術の一つの方向を探る手掛かりになることを期待しながら。


（『民族芸術』第二八号、二〇一二年三月刊）

心ひかれた相手になりすます森村泰昌

〈自画像の美術史──「私」と「わたし」が出会うとき〉

（二〇一六年四月五日〜六月一九日　会場：大阪・国立国際美術館）

「ポケモンＧＯ」の大人気で、〈コンピューター技術のグローバルな展開〉が速いことに、あらためて驚かされる。その人気は今後、事故防止対策や立ち入り禁止区域設定なども含めて、どんな波紋を広げるだろう。一時のブームで終わるのか、「プリクラ」と「自撮り」のように地続きで変転しながら日常化へ進むのか。

そんな大衆社会の中で現代美術は、どんな人々に迎えられているかを考えると、「プリクラ」を利用したことがあり、コンピューター技術の取入れも巧みに進めてきた森村泰昌の活動が、浮かび上がってくる。

森村は自分の顔のメーキャップ、服装の仕立てまで凝りに凝って、歴史的な有名人やスター女優などになりすます表現を続けてきた。自分の全身を素材にして、心惹かれる相手に変身しようと精魂込めるのだが、仕上げた跡には本来の相手と違う存在感も漂う。そのズレ具合から「自分は何者か」という自問自答が浮かび上がり、見る者にも考えさせる。

独創性最優先という近代以降の美術常識にこだわって、森村の手法を模写や模造に近いと見なしてか、軽視する人々もいる。しかし、現在の状況に疑問を持ち「今までとは違う自分」を探る人々の間では、森村作品が世界的に評価されている。今回の展示は三〇年を超えるその実績に多くの新作も加え、自画像だけにしぼって写真、ビデオ、映画まで集めた結果、美術史上異例の見ものになった。自画像コレクションならば一、七〇〇点を超えるイタリアのウフィッツィ美術館が世界的に有名だが、今回の森村展は近・現代の美術史に新解釈も加えながら、ウフィッツィとは大違いの大衆的見せ場までさまざまに演出していた。出品総数は一三〇余点。

最初の「なりすまし」はゴッホ

森村が心惹かれる人物になりすました手始めは、自画像の中のゴッホだった。この画家が仲間のゴーギャンと喧嘩してカッとなりすぎ、自分の耳を切り落としてしまった後の顔。耳の傷跡に包帯を巻き、くわえたパイプから煙をくゆらせている異様な油絵だ。そんな肖像を森村は何故か「自分の顔に似ている」と感じてしまった結果、その画面そっくりな顔面と服装、付属品や背景それぞれを実物で仕立て上げ、全体を原画の構図通りに組み合わせて写真に撮った。一九八五年の作品「肖像（ゴッホ）」だ。その苦心の経過は自著「芸術家Mのできるまで」で読める。

古来、修業中の画家はよく模写をした。名作をそっくり写し取る鍛錬で、学べることは多い。しかし若くて無名だった三〇余年前の森村が自分の顔と、発狂すれすれの状況にあったゴッホの異様な顔に共通点を感じ、その「なりすまし」を思い立ったときの精神状態は、型通りの模写で済まされない脱日常志向に捉われていたのではなかったか。

森村は一九五一年、大阪生まれ。一人っ子。全国高校美術コンクールの受賞実績が多かった大阪府立高津高校で美術部に入り、一九七一年に京都市立芸大デザインコースへ進学。前年の大阪万博当時には、未来志向の万博会場と、反体制意識で固まった「反万博」運動の両方で、共感できる部分を探った。大学紛争が大きく揺れていた芸大では、機構改革から生まれた映像設計教室で写真実技も学んだ。

卒業して電機メーカーに入社したが、三日で退職した。いくつかの学校で非常勤講師をする一方、美術表現をやめ童話の創作や、絵本づくりを試みた時期もある。一九八〇年に写真制作を再開。めまぐるしく入れ替わる現代美術の多様な流行に振り回され、自分が本当に表現したいのは何なのかと模索を続けていたとき、強烈に引き付けられたのがゴッホだった。

「なりすまし」写真の微妙な特色は、まず原画の人物像そっくりに扮装した森村の自意識が、作品上の目つきに現れてしまうことだろう。相手の人物とは違う別人の身で、目に浮かんでしまう自意識まではメーキャップしきれない。その状態を定着した写真の像は、ゴッホと森村それぞれの個性が読み取れる状態で合体している。

自意識は口元の表情にも現れやすい。今回出品されたさまざまな人物の「なりすまし」作品で、それが分かるものは少なくない。そんな目つきや口元に、微妙ではあるが隠しきれず浮かび出た自意識は、森村が対象にした人物への共感だけでなく独特の批評も伝えてくる。しかもその批評が美術の現状に対しても、現代の精神状況に対しても向けられていることは否めない。

別の自分も重なる「だぶらかし」

一つの作品に複数の見え方が重なり合う状況を、森村は「耳切りゴッホ」以後の作品で多様に展開した。一九八八年の上半身像「だぶらかし　マルセル」では、男に見えるが女かもしれない人物が同じデザインの帽子を二つ重ねてかぶり、胸の前で合わせかけた白い腕を、後ろから茶褐色の腕が抑え込んでいる。これは時と場合によって、本人の見え方が男にも女にも変わる二通りの人物イメージが、不条理にも重ね合わされて一体化したような想像上の人間像だ。作品展開の跡を現在まで辿ると、この奇妙な重複感覚は多かれ少なかれ、森村作品の一貫した特色になっている。

レンブラントが自画像に強くこだわり数多く描き残した跡を、青年時代から老境まで森村が辿ったシリーズ一九点（一九九四）には、共感だけでなく画家の自意識を探求した跡も濃い。ただし、「放蕩息子に扮するセルフポートレイト ― 六三六」は、画家本人と相方の女性の両方とも森村の「なりすまし」であることが異様に見える。その理由は「男が華やかに女装している」、「複数の人物が同じ森村の変装と分かる」ためだ。

女装ならば森村は、個展「美術史の娘」（一九九〇）でスペイン王女に扮して以来、独特の持ち味で知られてきた。一九九四年には東大駒場キャンパスで演じた米国女優マリリン・モンロー姿のパフォーマンスが、大きな話題になった。一九九六年にはイングリット・バーグマンなどのスター女優に扮した連作「美に至る病―女優になった私」で横浜、シドニー、ニューヨー

写真＝森村泰昌「放蕩息子に扮するセルフポートレイト－636」1994

クなどを巡回。扮装した相手と人相・骨格が違っても、メーキャップとファッションで補った上、本物と変装森村とのダブリ状態を演じながら両者のズレも見せる両義性に、ミーハー族のスター追っかけとは次元の違う問題提起をしてきた。

ここでは男女をはっきりと区別してきた世間のしきたりが疑われ、区別を当然と信じ込ませてきた社会通念が人間本来の在り方を抑えすぎてはいないかと、問われていた。近年、世界的に広がってきたLGBT（レズビアン、ゲイ、バイセクシアル、トランスジェンダー）公認の流れと、森村が探った美意識の方向は、早くから一致していた。

今回出品のメキシコ女流画家フリーダ・カーロの自画像に基づくシリーズ八点（二〇〇一～二〇〇九）では、共感や批評よりも、同情を昇華した礼賛と言えそうな表現が目立った。フリーダは小児麻痺後遺症で足が悪く、バス事故で脊椎が損傷した一八歳からは移動も不自由だった。それでも画家ディエゴ・リベラと結婚して、自分自身も絵を生涯描き続けた。障害に負けず不倫の恋も重ね、女として精いっぱい生きようと粘り続けた自己主張の跡には、乳房丸出しの自画像もある。その姿にまでなりすました時の森村が、画中の自分を胸乳も美しい女体に見せるため、どんな苦心をしたかは分からない。しかし、障害にめげず自分の可能性を試し続けたフリーダの生き方を理解するため、自分も可能な限り相手の身になって考える探求の手段として、「なりすまし」に奮闘した熱意は画面から実によく分かる。

探求のための「なりすまし」といえば、明治以降に西洋の真似でなく日本独自の同時代美術を目指して奮闘した人々にも、森村は目を向けた。岡本太郎の記念碑的作品「傷ましき腕」は本来、頭につけた巨大なリボンで顔が隠れている画面なのだが、森村作品ではリボンの下に自分の顔、その下の卓上に岡本のデスマスクかと思われる顔がある。戦前のフランスで、また戦後の日本で孤軍奮闘を続けた岡本を、戦後世代の森村がどのように理解できるかと苦心した跡が熱い。

青木繁、萬鉄五郎、関根正二、村山槐多、小出楢重、松本俊介――それぞれの苦闘を振り返った作品には、明治以後の日本が国全体で西洋に「追いつけ追い越せ」と奮闘し続けた歴史の中の美術を、熱心に辿り直す一方で、呆れながら批評をこめた跡には独特のポップ感覚も見える。

西洋美術の定説を問い直す

ここで、レンブラント夫妻を対象にした森村作品に戻って考えたい。その画面が異様に見える二つ目の理由は、画中の主役と脇役それぞれの姿に森村がなりすましているためなのだが、そんな状況が現実に成り立つはずはない。これは森村が、原画に描かれた別々の人物一人ひとりに扮装した姿を、もとの画面に戻した形で写真作品にした結果、一枚の絵の上に異質な森村イメージが同居する「だぶらかし」状況が生まれたものと解釈すべきだろう。その多義的な重複感覚を、やがて森村はもっと多様な人物がいる画面に向けるほか、ゴヤの戯画シリーズにちなんだ一二点（二〇〇五～

二〇一〇）の中では動物になりすますまで広げて、マンガに近い作品も残した。

　多様な人物「だぶらかし」の代表例は、森村がベラスケスの名作「ラス・メニーナス（官女たち）」に別格の肩入れをしたシリーズ八点（二〇一三）だ。原画上の人物は、スペイン国王夫妻を大画面に描いている途中のベラスケス本人、それを見にきた王女と女官や道化、後方の召使や侍従、奥の鏡に映っている国王夫妻らだ。シリーズは、その全員に森村がなりすましている画面や、描かれつつある国王夫妻が画面から抜け出してきた姿などと、原画の状況に奇想天外な変化を加えた大写真ばかり。

　さらに新作映画「自画像の告白」のベラスケス部門では、スペイン王国の没落と国王の死を、この宮廷画家が予感しながら描いていただろうという森村の想像が打ち出された。原画の状況は変化し続け、国王仕立ての等身大人形が破壊されてしまう場面まで突き進んだのだ。この原画はもともと絵を見る者に対して、ベラスケスが仕掛けた空間の構造を読み取らせることと、画中人物らの視線の先に誰がいるかを考えさせることで、美術史上とりわけ有名な作品だ。それについて多くの研究者たちが集約してきた解釈を、森村は大胆に広げ過ぎたかとも思われる。

　同じくこの映画で、最初に登場するレオナルド・ダ・ヴィンチの自画像の解釈も大胆だ。白くなった髪も髭もふさふさとして威厳たっぷりに見えるが実は別人なのだと、森村が「暴露」した。たまたまホームレスの老人を見かけたレオナルドが、顔は自分とよく似ていることに気が付き、本物そっくりに仕立てて描いたことにされた。その老人が映画の中で「ほんとうのレオナルド先生は」という。「権力の座からほど遠いところで、自由にふるまうのを好まれるお方です。西洋美術史は、先生が仕掛けた〈いたずら〉によって、ボタンをちぐはぐに掛け違え、そのまま二一世紀に伝わってしまったのです」

また、この映画に登場したフィンセント・ゴッホは「ぼくが誰だかいまだにわからずにいる」と嘆く。「フィンセントとテオは兄と弟だと思われているけれど、ほんとうのところはどうなんだろう」どちらもこの映画上で重要な扱いを受けたオランダ人のレンブラントとゴッホの場合はそれぞれが、時代を超えて同じく「自分は何者か」と問い続けた。それぞれの心には、プロテスタントの国に特有の内省志向が潜んでいたのではなかろうか。

悩んだあげく自殺する直前のゴッホを、森村は弟のテオと「だぶらかし」で作品化した。人物像だけでなく室内空間もそれに合わせて設営し、美術館とは別に設けた場所で公開したことには、異例の熱意がこもっていた。

映画に登場した他の画家たち（すべて森村のなりすまし）はカラヴァッジョ、ヤン・ファン・エイク、デューラー、ルイーズ・ヴィジェ＝ルブラン、フェルメール、フリーダ・カーロ、デュシャン（自画像なし）、ウォーホル、スーツ姿の森村本人と、多様なことに驚かされる。各画家の発言は全部森村の創作だ。その発言は明治以後の日本人がよく理解できないまま振り回されてきた西洋美術の定説を、独自の感覚で問い直した跡でもあろう。「現代美術はよう分からん」という人々の間へまで入り込もうとする画家の意欲に加え、大衆の日々の暮らしとも通じあう共生感覚が、その奥に感じられた。

（『美術フォーラム21』第三四号、二〇一六年一一月刊）

手作りの筏でセーヌ川を下るまで

――行動で表現する集団「THE PLAY」の半世紀

（二〇一六年一〇月二二日〜二〇一七年一月一五日、大阪市北区・国立国際美術館）

ハプニングで知られた美術集団「THE　PLAY」の面々が手作りの筏で、木津川から淀川へと下って行った。一九六八年七月のことである。筏は、一緒に作った仲間たちがゆったりと乗れる大きさ。下流の予定地に付くまでは流れに任せ、夏の太陽に輝く岸辺の緑や、遠い山々の眺め、水上を渡ってくる風の涼しさを愉しんだ。

これはレジャー向けの新たな趣向とも見られそうだったが、PLAYの狙いは全く違った。いまどきの美術の現状は型通りの表現や、評価をめぐる権威主義、それに盲従する教育など、古い制度に捉われすぎていると考えた結果、現状打破へと向かう挑戦の一つが、筏下りだった。これを「現代美術の流れ」と名付けたことには、遠い先を見通す展望も潜んでいた。この展望は他のさまざまな表現に没頭した間も絶えることなく、近年国際的に注目されている。

当時は美術館で展示される鑑賞目的の絵や彫刻に、不満を感じる人々が国際的に増えつつあっだった。二〇世紀に入ってから二つの世界大戦で露呈した人間の残酷さ・醜さ、その犠牲になった人々の悲しみと絶望感、新たな繁栄を目指す人々の欲望や平和を願う人々の連帯感を、従来の絵や彫刻は表現しきれないと見られたわけだ。「作る人」は美術館から外へ出て表現し、「見る人」には日常空間の中で、時代の変化を実感・体験してもらう。そんな「オフ・ミュージアム（美術館離れ）」の動きが欧米で目立ち始めた時、東京でもそれに応じる動きが起こった。しかし京阪神で活動を始めたPLAYは「そうした時代の背景を抜きに、もっとまっさらな所から出発しようとしていたんです」と、当初からのメンバー池水慶一はいう。

手始めは一九六七年八月。神戸市内の遊園地に若い男女が一三人集まり、思い思いに型破りの全身表現を実験した。巨大なコンドーム型の風船を池に浮かべて上に乗り、岸辺を一周した男。黒マントを着た女の前でやはり黒マントの男が真っ赤なヒモを体に巻き付けたりほどいたり、近くに座った女が植木鉢から糸を繰り出し続けたり。「何してんのやろ」と集まってきた人々が首をかしげ、見知らぬ相手とも話し始める。分厚く盛り上げて敷いたスポンジの上まで梯子からジャンプしていた男には、見物人の中から「自分もやりたい」という飛び入りが続き、「鑑賞でなく体験」の分かりやすい交流が偶然に生まれた。

こうした表現は全身を動かす活動なのだが、演劇でも舞踊でもない。当時のアメリカで「ハプニング」と呼ばれ始めた美術の前衛運動だった。それをPLAYは独自の感覚で受け入れ、メンバー各自が考え出したプランに基づいて、多様な表現を進めたわけだ。

一九六八年には巨大な卵を樹脂で作り、太平洋に流した。長さ三・三m、高さ二・二m。作った場所は大阪府池田市内、大阪教育大池田分校の中庭だ。これを和歌山県串本町の潮岬まで運び、海岸で漁船に積み込んだ。太平洋の黒潮本流に向かって航行すること三時間。停船し海へ流された後の巨大な卵は、黒潮に乗ってどこまで行くのか、誰にも分からないまま遠ざかって行った。この卵が美術館に展示されたら、立体作品として鑑賞されただろう。しかしPLAYは太平洋に流した。これがどこかの海上で船とすれ違ったり、遠い国の海岸に漂着したりしたとき、見つけた人々の間にどんな反応が起こるだろうか。そんな想像の広がりが、放流後の世界にずっと尾を引いている。

一九六九年は奮闘が目立った。淀川筏下りのほかに阿蘇の山麓歩き、京都市内の病院廃墟を内も外も使った秘教的儀式、池水が毎日現代美術展に出して受賞し東京・京都を巡回した状況展示「Eggs in Orange プレイ氏たちの朝食」、京都国立近代美術館から「現代美術の動向展」に招かれて演じたハプニング。それが独特の儀式として進行しつつあったとき、地上に広げた十字形の白布上で仰向けになった一人の男性メンバーが、ヤジを飛ばしながら近寄ってきた見物人の男に腹を踏みつけられた後、立ち上がって相手を殴った。大喧嘩にはならなかったが、数人で嫌がらせに来ていた男らが去った後に美術館の窓ガラスが割られており、壁に赤ペンキが投げつけられていた。これを事件扱いした警察署の調書が、PLAYの記録集に収録されている。

それによるとハプニングに乱入してきたのは、反日共系の学生たちだったらしい。当時は思想の違う学生たちの衝突が珍しくなかった。一九六八年にパリで起こった大学闘争が日本まで波及していた。六九年は東大安田講堂事件のほか全国各地で大学紛争が続き、その前からの成田空港建設反対運動でも、予定地の三里塚に集結した学生たちの闘争が一段と激しかった。PLAY は美術界の旧い制度と権威に反対していたが政治活動には、メンバー全員が若かったにせよ無縁だった。それでもハプニングを邪魔する連中までいたほど、当時の世相は荒れていた。

一九七〇年、大阪万博に世界の人気が集まった。美術界も万博へ大きく靡いていた時、PLAY は全く無関係なハプニングを続けた。一つは三月の「白十字宣言」。神戸市を見下ろす六甲山の中腹に、白布の巨大な十字形を貼り付けた。縫い合わせた出来上がりは、縦横とも長さ五〇m。ドイツから日本の現代美術を取材に来ていた写真家が、ぜひ見たいと望んだ注文に応じた結果だ。これに合わせて発表したコメントに、次のような PLAY の意思表示がある。「我々はハプニングを通じて特定の思想を人々に伝えようとするのではなく、我々の行為を知ることによって、人々の意識内部に何かが起ることを期待している」。

八月には、京都から大阪まで羊を追いながら歩く旅をした。参加メンバーは一一人。羊が一二頭。草地の多い桂川、淀川などの川べりを行く間はのどかだが、自動車の多い道路では羊が動かなくなり、さっぱり進めない。野宿しながらの旅で、食事の間は寄ってくる羊が鍋にまで首を突っ込んできた。可愛がってばかりは居られない。最初は羊を貸してくれた兵庫県三日月町の牧場まで連れ帰る計画だったが、一週間であきらめた。

日本で最初にハプニングを実行したのは、戦後いち早く大阪中心に前衛的活動を展開した具体美術協会だ。その具体は大阪万博で、一つの見せ場になったほど多様な表現活動を盛り上げたが、ハプニングで後輩にあたるPLAYは対照的に、時流を無視した。またメンバーの中には個人的に万博反対の運動に関わり、ハンパク（反万博）のデモが大阪都心の御堂筋を進んでいた時、その横で自分の手作り機関車を走らせていたこともある。彼は警察に道交法違反の疑いがあると咎められ、運転免許証を見せろと言われた時、「この機関車は自分の手作りだから美術作品だ。免許証など必要ない」とタンカを切った。その小さい機関車を私も見たことがある。警官を退散させた話は、いかにも彼らしかった。

PLAYのメンバーは出入り自由だ。やりたいことが有るときに、集まってくる。プランを出し合って、納得がゆくまで話し合う。美術に対する考え方も職業もバラバラだから、話がまとまるまでは時間をかける。ただしプランが決まったら、その実現には集中する。長年の活動から集約されてきた心構えは次のようだ。「プランを体験すること。体験を継続し日常化すること。プランを日常化し継続化すること。プランと体験と日常化を繰り返すこと」

一九七〇年代に入ってからPLAYの中で儀礼的な傾向が薄れてくると、自然志向のハプニングが基本になってきた。七二年、水に浮かぶ六畳間の家を発泡スチロールとベニヤ板で作り、木津川から淀川のコースを下った。他の川との合流点で進めなくなった後、家を燃やして切り上げた。七五年は手作りのカヌーを琵琶湖に浮かべている。これは前年に近くの山林から伐り出した樹齢九〇余年の杉を七か月かけて乾燥させ、電動工具は何も使わず手斧とのこぎり、ノミだけの手作業で仕上げたのだった。七四年から二〇〇〇年にかけて沖縄の南大東島、鹿児島の口永良部島と屋久島、北海道のサロベツ原野まで遠征したことは、自然志向の限界まで近付いた集団行動ともいえよう。その合間に京都府下の廃墟となった鉱山跡で、長大なイエローパイプの巨大なインスタレーションを展開し、愛媛県下の山間地では七〇〇〇年前の地層と推定される断崖に向けて巨大な鏡を設置して太陽光を反射しながら、太古の地球へと想いを巡らせた。

パリのポンピドーセンターから「前衛芸術の日本」展に選ばれて出品したのは八六年のこと。ここでは以前の「太平洋に流した巨大卵」や、「手作り筏の川下り」などの説明とともに、「現代美術の流れ」の映像が展開された。

映像ではなく改めて再制作された筏が淀川に登場したのは二〇一一年。「ナカノシマ　現代美術の流れ」と名付けられたハプニングだった。淀川で、大阪市の中心部にある中之島東端から大阪中央卸売市場の川堤まで流れ下った。

さらに三代目の筏がパリで再制作されたのは二〇一二年だ。セーヌの川下りを実現してしまった。

パリ市パブリックアートセンターの「Le Mont Fuji n' existe pas（富士山は存在しない）」展に招かれ、開幕前日にパリ市郊外のプトー橋からセーヌ川を約三キロ流れて、スーラの名画で有名なグラン・ジャット島に到着したのだった。日仏あわせて一八人乗り込んだうち、PLAY関係者は六人。

これに関して、フランスの美術雑誌からインタヴューを受けた池水慶一の答えの中に、こんな言葉がある。「一九六〇年代は変革の意識があふれている時代でしたが、その後の経済的発展は個人主義社会を生み出しました。資本主義社会において、他者と、また、自然とどのような関係を築けるのか？　このような秩序に関する実存的な疑問は（中略）社会的評価や観念的な位置づけに関係なく、私たちの作品の中に存在するのです」

一九六七年に発足したPLAY

写真＝PLAY「La Seine 現代美術の流れ」2012

のハプニングは、変革をめぐって激動する社会の中で人間が「他者と、また自然と、どのような関係を築けるのか」と、問い続けてきた。その問いを自分の問題でもあると感じられる人々にすれば、二〇一六年に国立国際美術館で五〇年間の歩みを振り返った展示は、実に貴重な思索の手掛かりに満ちていた。

同じ状況を残せないのはハプニングの宿命だ。しかしそれを承知で展示を振り返るならば、今回の会場には印刷物、写真、映像などの記録に加えて、水に浮かべた家や筏の現物と再制作も合わせ総数三二四点もの資料が集められていたのが有難い。とりわけ丸太三〇〇本で高さ一五メートル近い櫓を美術館内に組み上げてあった展示は圧巻だった。

櫓によるハプニングは、一九七七年まで遡る。山の上に高々と組んで避雷針を付け、そこに雷を呼び寄せるというプランだった。地球上に生命体が初めて生まれた原因は、落雷のショックだったという説がある。雷の力がそれほど凄いのなら、自分たちの仕掛けで雷を呼び寄せて見よう。そう話し合って決めた後、近畿地方でいちばん落雷の多い山を気象台の資料で調べた。奈良県との境に近い京都府和束町の鷲峰山（約六八〇m）に決めた。その頂上に三角形のやぐらを組む。夏休みごとに繰り返し、一〇年続けた。高さは年により異なったが二一m〜三〇m。一回で使った丸太は二一〇〜五〇〇本。櫓が完成してから落雷を待った期間は二〇余日間。交代で見張りに来るメンバーのほか、はるばる山道を歩いて見に来る人々も少なくなかった。

しかし残念ながら、雷は一度も落ちなかった。一〇年続いたところで切り上げた。最後まで粘り続けたメンバーたちは、大自然の中で待ったこと自体に意味があったのだと、割り切っていた。

オフ・ミュージアムにこだわらなかったPLAYが、美術館の展示に招かれたり、選ばれたりして出品した際の思い切った展示も忘れ難い。兵庫県立近代美術館（当時）の「アート・ナウ八〇」に招待されたとき、二階東側の巨大な窓（三・五×四m）を完全に外してしまい、部屋の中央に立てたのだった。展示の会期中はずっとこのまま。窓があった場所は風が吹き抜け、外の大通りからは交通騒音、近くの動物園からは夜ともなればライオンの吠える声まで聞こえてきた。無断侵入に対する防犯上の心配も絶えなかった。しかし断ろうとした美術館をどこまでも粘り強く説得したことは、それ自体が、PLAY独特のハプニングとも見られたのだった。

（『美術フォーラム21』第三五号、二〇一七年五月刊）

戦中少年が問い続けた環境と人の運命

「福岡道雄　つくらない彫刻家」展

（二〇一七年一〇月二八日〜一二月二四日、国立国際美術館）

軍国主義から民主主義へ。「現人神」だった陛下は「人間天皇」へ。それまでの常識が大きく引っくり返された敗戦後、日本では美術界にも型破りの表現が続々と現れた。一九五〇年代なかば、当時二〇歳そこそこだった福岡道雄が砂浜の石膏流しから偶然生まれた抽象彫刻の展開以降、美術界の「前衛」として全国的に注目され続けたのは、時代の激動と共振しあった現象に違いない。

福岡は中国・北京からの引揚者である。日本に帰国後は母の郷里の滋賀県海津村で暮らし、生地の大阪・堺市に戻ったときは中学三年になっていた。この長い異郷体験は、彫刻家になってからの権威否定、前衛志向と深く結びついているのではないか。

生まれは一九三六年。その年、家族に連れられて北京に移住した。本人のエッセイ集「つくらない彫刻家」（二〇一二年刊）によれば、もの心ついた頃に覚えた言葉は日本語よりも中国語が先だったらしい。「人間誰でも一生に何度か事件や天災にあう。それが子供の時であったり、老人の時であったりだが、僕はそれが、敗戦であった。中国済南から2日で帰れるところを二か月。子供であったからその苦労は知らない。しかし、その残像のようなものは確実に残り、その後のひもじさと、貧乏は今の体質をつくった。僕の財産である」「過ごした三坪ほどの牛小屋。前の母屋、泳ぎを覚えた細い水路。得意に描いた寺の老松。釣りを始めた野池」（同書）

堺市に帰郷後、市立工業高校に進んだ。先生の娘さんをモデルにして「首」をつくり堺市展に出品したら、市長賞を受けた。卒業後は大阪市立美術研究所に入り、彫刻室で四年間学んだ。砂浜での石膏流しが誕生したのは、ここで修業中のことだ。研究所の棚に放置され使い物にならなくなった石膏が、塩水で溶かせば再利用できると聞きつけた。これを海辺で、手で掘った砂の穴に流し込んでみたら、やがて現れたのが全く異様な塊だったのだ。それまでの美術界では誰も作品として認めないような塊、作る者はどこにも居なかったような塊。それを最新の「彫刻」だと主張した福岡と、驚きながら歓迎した人々との間には、あくまでも新しい造形を追求する時代感覚が共有されていたのだった。

それから半世紀余り。国立国際美術館が開いた福岡道雄展は、これまでの活躍が国際的に広がっていた跡を九八点の作品で見せた。展示タイトルに「つくらない彫刻家」とあるのは一見不可解だが、これは実際に手を動かして作る作業から離れている現状を見つめた結果かも知れない。その一方では手帳サイズの小冊子に「つくるということ。つくらないということ。僕にとっては等値である」とのつぶやきがある。

福岡は思い立ったら全力で制作に集中する時期と、気が向かなければ何も作らず魚釣りや、庭の手入ればかりに明け暮れている時期との差が大きい。ただし制作から離れていても手を使わないだけで、世俗の哀歓や美術界の流れ、地球から宇宙空間まで想いをはせつつ、そこに浮かんでくる発想をどんな作品へ展開できるかと注意し続けているならば、その状態も本人にとって「つくる」過程の一部なのではなかろうか。

会場の九八点は、大別して五部に分けられる。最初はSANDシリーズ。海岸の砂いじりから生まれた作品群だ。ここでは、安置されながらも不規則な流動感で見る者を落ち着かせないタイプ、古代中国の祭器を思わせる複雑な凹凸が入り組んだタイプ、廃墟の残骸めいた不定形な断片を床の上に大きく広げたタイプが目立った。

二番目は廃品めいた細長い棒を無数に集め、乱雑に立てたり天井から吊るしたりしたインスタレーションだ。それぞれの棒に破滅的な色を乱暴に塗り捲ったり、ゴミなどを張り付けたりした跡に、不吉な惨めさが漂う。頼りなく不安定な立ち方や揺れ方から、それでも重力に対して自立を保とうとする意志が伝わってきた。

三番目で会場最大の展示空間は、まず大小多数の風船彫刻を天井からつりさげていた。一九六五年の制作当初は塗られた色が「ピンクバルーン」のタイトル通りに美しかったが、その後各地で展示が続いた間に退色や、シミ、汚れが増えた。後から追加制作されたものもあり、今展では色合いがさまざま。ただし、この眺めを会場最大の作品「飛ばねばよかった――それから」（一九六五〜六六年）と一体化した空間全体の問いかけは、異様だ。大の男が空中から落ちかかっている。下の地上に大風船が転がっている。この風船の浮力で空に浮かぼうとした挑戦が、無残に失敗しつつあるのだ。

この状況は、見方によればマンガに近いと笑われて終わりかも知れない。しかし大小多数の風船にも不細工な人体にも、それぞれを天井からつりさげた糸やロープの不器用な見せ方にも、笑いを寄せ付けない強固な問いかけが籠っている。地球上で重さのあるものは全て下に引き付けて落とす重力。それは目に見えないのだが、便宜的に重さを感じさせる形で福岡は表現し、重力に支配されながら生きている私たちの現状を問い直しているのだ。

写真＝福岡道雄「飛ばねばよかった－それから」1965-66

重力に従うか、逆らうか。福岡の問いかけを意識しながら順路を戻ってみると、第一空間の作品は海水で溶かした石膏が重力に導かれるまま砂の穴へ流れ込んだ跡だ。しかし第二空間の頼りない棒の群れは、不安な状況の中で重力に従わず、立ち続けていた。汚くて頼りない姿のままでも、自立をあきらめない意思を表わしているのだった。そこから再び第三空間に立ち戻れば、重力と如何に向き合うかの意識は、福岡の重要なテーマとして広がってきたようにも考えられる。

第四空間に入る。作れない期間中、好んで魚釣りに出かけた先の情景などを、意欲が戻ったときに作品化した跡だ。広い水面に向かって釣り糸を垂れる自分、その周辺の木々の姿、それらを広く取り込んだ作品は「風景彫刻」とも呼ばれた。ところが制作が進むうちに自分の姿や樹木などはすべて省かれ、一見したところ水面だけの表現にこだわった作品が生まれてきたのは何故だろう。

全体は真っ黒な直方体の大きな箱だ。天板の上にだけ揺れ動く波の広がりを彫ってある。ここで作品と意識されるのは、ほとんどの人にとって波だけかも知れない。しかし、その下で垂直に立ち上がり天板を支えている側板は、その場の水の深さと重さまでも暗示しているのではないか。

物理学の常識によれば、川でも湖でも海でも重力がなければ、水は空中へ飛び散ってしまう。人間をはじめあらゆる生き物が生きて行けるのは水のおかげだが、重力のおかげでもある。福岡は風景彫刻から波だけの造形へと進んだ跡に、重力との新たな対話を込めたと見ることができようか。もともと彫刻は重力に気を付けながら制作しなければ成り立たない表現分野だが、福岡のような問題意識で重力と取り組んだ彫刻家が、いままで世界のどこかにいただろうか。

　今回の展示で重力関連の作品を除いた第五のグループは、ひとまとめにすることが無理なほど多様だ。その中で見落とせない問題が明らかなものに触れておこう。真っ黒な大パネルに数えきれないほど繰り返して、一つの問いかけ、または呟きを彫り続けた作品群がある。その代表例が「僕たちは本当に怯えなくてもいいのでしょうか」だ。この作品を発表後間もなかった一九九五年一月一七日、阪神淡路大震災が起こった。全くの偶然だが、問いかけのタイミングが恐ろしいほどにきわどかった。もともとこれは、それ以前からの日本で反抗心が失われつつある状況への問いかけだったようだが、この警告がそのまま当てはまりそうな問題は現在増え続けているのではないか。

　一九五八年に大阪で福岡が初個展を開いてからの実績を振り返っておこう。個展は京阪神を主に三六回(うち東京では一一、ミラノで一)。グループ展は「第一回集団現代彫刻展」(一九六〇年、東京)、神戸須磨離宮公園現代彫刻展(一九六八、七〇、七四年、神戸)、「芸術―平和への対話展」(一九八六年、横浜)、「水のかたち展」(二〇〇七年、水戸)などで合計一九〇回(うち海外ではパリ、サンパウロなどで六回)。受賞歴は第八回中原悌二郎賞(一九七七年)など五回。現存の彫刻家では抜群だ。

　ここで大阪の美術行政に注文がある。それは福岡の最も重要な作品の一つ「飛ばねばよかった――それから」を、大阪市の財産にすべきではないかということだ。これは各地で展示のたびに話題を呼んできたが、とりわけ二〇一四年「ヨコハマトリエンナーレ」では、世界的に活躍中の画家森村泰昌による展示采配で抜群に注目された。大作過ぎるためか購入先が見つからないまま六〇余年たつが、二〇二一年に開館予定の大阪中之島美術館は大阪の誇りともいえる福岡の実績を評価して、購入へ踏み切るべきではなかろうか。

（『民族美術』第三五号、二〇一九年三月刊）

第四章　パリで暮らした間の見聞

南仏で見た「日本の現代彫刻展」から

〈モンドマルサンの路上美術館〉

彫刻は古来、祈る心と密接に結びついてきた。作られた姿の礼拝を禁じる教団や、禁じた教祖の存在が知られていることは確かだが、もしも彫刻を排除してしまったら、信仰の歴史をさかのぼることは不可能になるだろう。また信仰とは無関係な制作が一般化してきた近代以降の彫刻でも、創作意識の根源には、定型化した信仰よりもっと初々しい祈りに近く、ひたすら何かを願い求める心の発露が感じられる。古典的彫刻から全くかけ離れた現代のインスタレーション（仮設装置）でさえ、その根源に変わりはない。

この初夏にフランス西南部のモンドマルサン市が開いた「日本の現代彫刻展」では、ひたむきに探り求める作家たちの苦心がフランス人たちも驚いたほど、みずみずしく実っていた。その見聞を、ここにお伝えしたい。

パリから高速鉄道で南仏の大西洋岸へ向かい、ワインの名産地ボルドーまで約三時間。そこからローカル線で、さらに二時間ほど森林地帯を抜けて行くと、モンドマルサン市に着く。ここは豊富な材木の産地、ラーンド県の県庁所在地だ。県内の広大な森にはハイキング・コース、狩猟場、闘牛場などがある。砂浜の海岸線が百キロを越える海辺に出て行けば海水浴、サーフィンや釣りを楽しむ場所が方々に開けている。この一帯で農林業、製紙業、観光業の拠点に当たるモンドマルサンは、中世の面影が残る静かな都市だ。

有力な工業地帯とか、由緒の深い名所旧跡、格別の風光に恵まれた土地ではない。新しく活気づけようとするなら、何らかの工夫が必要となってくる。フランスの地方都市には大胆な現代建築の導入で、地域のイメージを大きく変えた例がいくつも出ている。しかしモンドマルサン市の場合は、市内各地にある中世の古建築と現代建築が調和を保つように街並み整備を進め、同時に歩行者のため、木陰の多い散歩道を増やすことに力をいれてきた。これだけならば活性化には消極的すぎるとも見えるのだが、意欲的で人気の高い企画もある。その一つが「路上の美術館」だ。

最初の試みは一九八八年だった。県立美術館から、二〇世紀前半の具象彫刻を主体に約二五〇点の所蔵品が路上へ出された。二週間の展示中に予想以上の反響があり、とくに好評だった彫刻の数点はその場に永久設置された。これらの彫刻は現在、市民や観光客が街並みをたどって歩くときの親しみ深い目印になっている。

この成功から、街並みのイメージ・アップに彫刻が果たす効果を、モンドマルサン市は重視し始めた。一九九一年にはヨーロッパ現代作家を六人招いた。各自が市内で好みの場所を選んだ後、それに合う彫刻を市内に泊まり込んで制作し、展示したのだった。一九九四年は趣向を変え、一一一人の現代作家から約五百点の彫刻を、路上や広場に出展してもらった。

三年ごとの開催が定着して、今回の一九九七年で四回目になる。国際交流行事「フランスにおける日本年」が、ちょうどこの年に重なった。さらにモンドマルサン出身の彫刻家で、二十世紀前半の活躍が歴史に残るデスピオ（一八七四〜一九四六）の回顧展も同じ年に日本を巡回するため、それと交換の形で「日本の現代彫刻展」を、市の主催で開くことになったわけだ。

〈日本の現代彫刻展―ベストに近い人選〉

招かれた日本人作家は七人。県立美術館のフィリップ・カマン館長が、フランス国立現代美術館の資料などを参考にして決めたという。選考の条件は、この地方が産出する材木の中でも特に多い松材を使うこと、原則として路上または野外に置くこと、現代作家として国際的な実績のあることだった。

日本の現代彫刻で、まとめて展示された例は少ない。国際的に知られているのは、①一九八九年にベルギーで日本文化全般が紹介された「ユーロパリア・ジャパン」の行事のうち、アントワープ市内の公園で開かれた野外展、②九二年から九三年にかけてアメリカとカナダを巡回した異色の彫刻展「プライマル・スピリット」、③一九九三年にベニス・ビエンナーレの主会場公園内で、具体美術協会が約四〇年前に芦屋市内で開いた前衛的野外展（絵画も含む）を、ベニス側からの要望で再現した展示――この三つくらいだろう。

モンドマルサンに招かれた作家で海老塚耕一ら男性六人は、①か②の海外展または両方で注目された後も、欧米のいろんな美術展に出品している。また紅一点の平川滋子は一五年近いフランス在住の間に、ヨーロッパ各地での活躍が知られてきた。日本の現代彫刻に詳しく②を実現させた美術評論家、成安造形大学の金沢毅教授によれば「木を使い、野外設置という条件ならば、今回の七人はベストに近い人選」という。

七人の作業は、まず一九九六年一二月にモンドマルサン市へ来て、自作の設置場所を選ぶことから始まった。市内の公共空間と、市の管理する建物を五日間にわたって、カマン館長や市の職員らに案内してもらった。場所を決めて帰国した後、各自のアトリエから作品の構想や設計図、必要な素材の注文、現場で調達できる道具と作業員の要請書をカマン館長に送った。現地での実際の制作に取りかかったのは、一九九七年四月からだ。

彫刻といえば人物像や、ほどよく風景の中に収まった抽象作品しか知らない人々には、モンドマルサンの制作状況を想像することが難しいだろう。遠藤利克を除く六人ともここでは、土木か建設の工事現場と見違えるほどにクレーン車やチェーンソー、作業員らを駆使した。周囲の景観も作品

に取り込む発想で巨大なインスタレーションを作ったわけだが、「構想した」という方が、実感にふさわしいだろう。

「松材は好きなだけ使っていい」という条件を、最大限に生かしたのは国安孝昌だ。皮つきの細い丸太を二七〇〇本、ダイナミックな渦巻状に組み上げた。針金でしばり、止めた箇所がざっと六千。合わせて使ったレンガが四万個。市の建設関係従業員を、延べ一四〇人も動員したという。

作品の高さは一五メートル、前後左右は三〇メートルずつある。作品の中に家を一軒、ほとんど巻き込んでしまった。「これが美術館職員の住宅だから、了解してもらえた。職員の日常生活には何も差し支えないように作ってある」と国安は説明してくれた。それにしても驚かされる作品だ。初めて見たときは「いったい何が起こっているのか」と目を疑わずに

写真＝国安孝昌「ミドゥー川の螺旋」1997

はいられなかった。驚きを静めて渦巻の中に入ると、家の脇を通り抜けられる形になっている。この通り抜けが、市民たちに喜ばれた。「これでも彫刻?」などと口々に呆れたり、思わず手を伸ばして触ったりしながら何回でも見に来るのだ。新しい名所、という感じさえした。

家の横に橋があり、その下を川が流れている。このミドゥー川が、少し下流でドゥーズ川と合流する地点を中心にして、この町はできあがってきたのだった。

国安は作品に「ミドゥー川の螺旋」と名づけている。材木を産出するこの土地の暮らしがどれほど深く川に結びついてきたかを、人々が思い起こしてくれるように念じながら、これを制作したのだという。また、家を巻き込んでそびえ立った二七〇〇本の皮つき丸太は、日ごろ特に注意もせず見過ごしてしまいがちな木の美しさ、目立たないがじっくりと心にしみてくる木の持ち味を、あらためて見直そうとしているのだった。それに加えて、背後の県立美術館が中世建築を取り込んでいる景観も、国安作品との対比により生き生きと浮かび上がっていたことを、忘れてはいけないだろう。

ふじい忠一が市役所前広場に立てた作品は、木の持ち味を、全く単純な形で問い直す試みだった。これも皮つきだが根元の直径は一抱えもある丸太を小山状に積んで、その頂点に一本だけ、高さ一三メートルの丸太を直立させた。青空の下にくっきりとそびえ立つ形の上昇感は、教会の高い塔が、見上げる人々の目と心を引き付ける効果にも比べられようか。しかしこのインスタレーションは教会建築と違って、倒れはしないかという不安、緊張感もぬぐえない形だ。安定と不安定の境目で、ギリギリのバランスを保っている。木の持ち味といっても、こちらは野性味むき出しであり、それが緊張感と重なり合って、見るものに迫ってくるのだった。

河川敷に楕円形の窪みを五つ掘った平川滋子は、皮つき丸太のほか、大木を切り倒した後に掘り起こした根株などを、大型トラックで運び込んだ。橋に近い窪みから順に楢の根株、闘牛場の赤砂、松の根株、松の丸太をそれぞれ寝かせて入れ、締めくくりには太い楢の切り残しが捨てられ雨ざらしになっていた残骸を一本だけ立てた。それぞれの窪みが大きく、間隔が開いているため、全長は一三〇メートルにも達するインスタレーションだ。フランス語で付けられた題を邦訳すれば「系統樹／死」となる。

これは木が切られた後で風化し土に還ってゆくまでの局面を、堤防の上に立ち並んだ緑濃い菩提樹の並木と対比させる形になっていたため、見ているといつの間にか、生態系の行方を考えさせられてしまうのだった。単純に解釈できない作品だが、山積みされた根株の衰滅感と、それに挟まれた砂場の虚無感には、解釈を超える生々しい迫力があった。しかしもう一つ、川の対岸で昔の洗濯場に立て並べた丸太と緑色樹脂のインスタレーションもあり、こちらは浄土をしのばせるような静寂に包まれていた。

土屋公雄は公園の中に生えている樫の若木を、角材で作った檻の中に閉じ込めてしまった。若木の高さが七メートル。細長い十角形の檻は高さ九メートル。フランス語で付けた作品名は日本語に訳せば「まだ私は生きている」という意味だ。管理社会の閉塞状況を打開したくても、どうすればよいのか分からない人々と、ともに考えるきっかけを作りたかったという。離れた町の一角で古い洗濯場の水槽に沈めたブロンズの角柱作品にも、同じ題が刻みこまれた。これは、市内の大火事で焼死者が四人出た家の梁から、じかに型どりしたものだ。生と死の対照的な二作で、同じ題名にある「私」は誰をさすのか。作者は多分、作品を見た人々がそれだけに終わらず考え始めたとき、各自で気づくことを求めているのではなかろうか。

海老塚耕一は、角材を使う感覚が実に柔軟だ。三点作っていたが、それぞれの設置場所に合わせて見事に使い分けた。草の緑が鮮やかな広庭の大作は、角柱だけが残った廃墟のホールとも見える形を設置した内側に、バラバラと角材が倒れた混沌状態を示した。その中へ出入りする人々は、角度によって作品が立体感をなくしてしまったり、また取り戻したりするという不思議な空間に出会うのだった。

古い建築の高い壁に挟まれた路地で延々と角柱を並べた作品は、通り抜けを誘いながら両側の壁にしみついた生活の跡へ目を向けさせた。この通り抜けを面白がる市民たちが多いためか、初日から早々に落書きをされていた。そこから離れ美術館まで行くと、中世の面影を残す外壁に取りつけた球体が横へ一直線に並んでおり、粗く削ってボール状にした木の肌合いと地色によって、古い壁の荒れた肌から歴史の歩みが誘い出されてくるかのように見えた。この球体は削り方が粗いことにユーモアもひそんでおり、不揃いなカボチャたちとでもいいたくなる親近感があった。これを取りつけ台の上から手に取って眺め、路上に置いて行く人々が展示中に何人もいたという。置き戻しに行った市職員の話だ。

戸谷成雄は、一四世紀に建てられ近年は非行少年や浮浪者の溜り場になっていた二階建石造建築の内部を、そっくり作品化してしまった。二階の床に穴を開け、高さ七メートルの柱状作品を一階から突き出す。もう一つの穴の上には二階天井から鉢状作品（直径七〇センチ）を吊り下げ、鉢の下に置いた灰を一階へ少しずつ落とす。どちらの穴からも見える一階は立ち入り禁止で、浮浪者たちがいた当時と同じ混乱状態を保つ。したがって見る人が入れるのは二階だけだが、その床上には棺桶風の箱状作品もあり、蓋の小穴からのぞけば人体の形にくり抜いた空洞が見える。これら全体の統一タイトルは「見られる」だ。穴の向こうを見る人は、同時に見られていることも分かってほしいと、作者はいう。誰に見られるのか。それを悟ることは、見る人それぞれの問題だろう。

遠藤利克の構想が主要部分を認められず、廃校の床に、栓を開けたままの水道から水を流しっ放しにすることしか実現できなかったのは残念だった。

しかし、全体で市内の一一カ所に合計十三点のインスタレーションを構築した跡は、素材と空間を作家たち六人が思う存分に使うことができた結果、日本の現代彫刻としては空前の展示になった。

正式の展示期間は五月二四日から六月十五日までだが、カマン館長は「行事の多い市役所前広場などの二点は期間後に撤去しても、ほかは九月まで残したい」と話した。「いま開催中のベニス・ビエンナーレ（伊）や、カッセル・ドクメンタ（独）を見に行く人たちは、モンドマルサンにも足を伸ばしてほしい。こちらの作品も両者に負けないほどいいと思うから」

〈共生感覚を探る問いかけ〉

米・仏・伊の三カ国語で美術評論を長年書いてきたフランス人評論家、ピエール・レスタニー氏の評価が実に高い。現地で開幕式の翌日、作家たちに熱心な質問を繰り返した後「木と結びついてきた日本文化の伝統が、モンドマルサンで制作した現代作家たちのインスタレーションでも、木を扱う感覚と技術の両面に感じられた。日本人作家だけの海外展としては画期的な展示だ」と話していた。

ただし、作家たちがこれで十分に満足しているわけではない。モンドマルサン市は招待作家の旅費、滞在費を負担し、素材提供や作業員派遣などの便宜も図ってくれたが、滞在中の日当までは出なかった。制作は、文字通りのタダ働きだった。この点で、海外展への招待が多く現地制作の経験が豊富な土屋のつぶやきを、忘れることができない。「外国から招かれれば名誉なことだから嬉しい。しかし経済的には、それが苦労の種にもなるのです。何かアルバイトをしなければ作家生活を続けて行けなくなることが、しばしばありますよ。外国で評価されたら日本で作品が高く売れるようになれば助かるのだが、日本で現代美術を買う人は滅多にいません。なぜ現代の作品に関心がないのか。日本人は本当のところ、美術が嫌いなのかも知れませんね」

美術に限らず何事でも日本人は、周囲の顔色をうかがいながら自分の判断を決める傾向が強い。評価が定まらない現代の作品には、なかなか手を出さない。それにもかかわらず、制作を止めない作家たちがいる。なぜなのか。海外の評価が発奮材料になっていることは確かだろう。しかし、それ以上に深い動機は、多様な人々の欲求がせめぎ合う生活環境の混沌をもっと違う角度から見つめ直し、生き生きとした共生感覚を探り当てたいと願う無言の問いかけにある。そう思われてならない。モンドマルサンでは、その無言の問いかけが古い都市の景観にみずみずしい変化を巻き起こし、見る人々の心を揺さぶっていた。

（二一世紀の関西を考える会発行「あうろーら」第九号（一九九七年一〇月一日刊）所収）

パリで奈良の仏の素晴らしさ見直す

　奈良の興福寺は、日本の仏教美術を知る上で必見といわれる古寺の一つだ。その収蔵品の中でも素晴らしい名品の数々が、一九九六年秋に、パリで初めて展覧された。

　いまから一二〇〇年前の奈良時代、日本では仏教信仰とその美しい表現が早くも黄金期を迎えていたことを伝える八部衆、一〇大弟子の乾漆像をはじめ、鎌倉時代の迫真的な木彫を代表する「無著・世親」像、それに続く四天王像などの国宝群を中心に、飛鳥時代（七世紀）から江戸時代（一九世紀）までの彫刻、書、工芸など合わせて約九十点。画期的な出品の展覧だった。

　日本文化に関心の深いフランス人たちから、非常に喜ばれたことはもちろんだ。またその一人が、核実験で日本に嫌われているシラク大統領だったのは、何かと話題になった。この多忙な人が、招待日に予定時間を超過するほど見て行っただけでなく、数日後、もう一度見に来たという。約二カ月後に訪日を控えていた時期で、心の準備をしておこうという意識もあったのだろうか。

　会期はマロニエの並木が色づき始めた九月二〇日から、ほぼ二カ月半だった。会場のグラン・パレまで、目抜き通りのシャンゼリゼを歩いて行くと、あちこちの花壇に秋の花が咲きそろっていた。ただし花の風情に、日本の秋のこまやかな陰影は見られない。また今世紀初めに建てられた石造建築グラン・パレの雰囲気も、古色ゆたかな大和の寺々とは違う。会場内では釈迦如来を囲んで四天王を立たせるなど、理解を助けようとする配慮をしていたが、日本で見る場合とは印象が違った。

写真＝運慶「無着菩薩像」鎌倉時代

それは、西洋の中心という意識が強いキリスト教の国で、アジアの東の果てに栄えた仏教国の信仰表現を見るわけだから、当然のことだろう。そんな戸惑いを抑えながら見ている間に、ふと感慨が浮かんだ。

「菊の香や奈良には古き仏たち」と詠んだ芭蕉を、もしもここに立たせたならば、どのような目で見るだろうか。

芭蕉のころから私たちの時代まで、ざっと三〇〇年になる。この間に、世界の歴史変動から孤立していた鎖国の島国、日本は大きく変身したのだった。内戦の混乱を収めて実現した明治の開国、無残な敗戦から立ち直った昭和の復興、二つの大転換期を切り抜けて飛躍した日本は、いま運命共同体としての地球を支える大国の一つになっている。こうした歩みの上で、まさかと思われた名品がパリへ運ばれてくるような展覧も、成立したのだった。

今回最も注目された「無著・世親」像は、貴族政権の没落期に戦火で焼かれた奈良の復興を祈って新たな武士政権の変革エネルギーと呼応しながら、運慶父子が彫り上げたといわれる。仏像というよりは人物彫刻といいたいほど自然で、生き生きとした作品だ。そこに凝縮された意志の表現が、この会場では、日本で見ていたときよりも強く迫ってくることに驚かされた。自分は日ごろ祈る習慣すらない程度の仏教徒だが、それだけに、この彫刻が信仰を超えて人間を問い存在を問い直す姿に、あらためて揺さぶられたのだった。

（『日本美術工芸』一九九七年一月号）

初夏のシャンゼリゼいろどる野外彫刻展

パリの新緑が日ましに美しくなってくるころ、シャンゼリゼの大通り沿いに型破りの彫刻展が開かれた。

出品は、ほぼ百年前のロダン作「バルザック像」から、全く異質な近年の抽象立体まで四十九点。もしもロダンがこの展示を見たとしたら、「これでも彫刻か」と目をむいて絶句しそうな作品がすくなくない。

彫刻といえば、何よりも人体表現にこだわり続けた時代が長かった。しかも、その大半は信仰にもとづいており、そうでない場合も伝説や歴史にちなんでいる。百余年前にロダンが人間とは何か、自分とは何かを問わずにいられない近代人の内面を表現しようと苦心した試みは、画期的だった。

ただし一九一七年にロダンが没したとき、彼が切り開いた新領域を自分なりに探る作家たちは、人体にこだわらない抽象感覚の追求にまで進みつつあった。ピカソが鉄板と針金の寄せ集めで最初の抽象立体を作ったのは一九一二年のことだ。

そのピカソ作品は出品されていない。しかし会場全体は、彼以後の彫刻がどれほど劇的に変わってきたかを示すことに、重点を置いていた。そのためロダン、ブールデル、マイヨールと続く人体表現の流れが古めかしく見えたほどだ。

レジェ「歩く花」、ニキ・ド・サンファールの「踊る女体」などは、高さ五―六メートルという巨大なサイズと鮮やかな赤や黄の色が特色。この大衆的な日常感覚は、いまや珍しくない。しかし凱旋門をはじめ歴史的建造物の多いシャンゼリゼ大通りでは、それらの荘重な景観を笑いとばすような大衆性が、奇抜な文明批評にもなっていた。

やはりカラフルだが、明快な存在感で引きつけるデュビュッフェの太い柱、巨大な

写真＝ルイーズ・ブールジョワ「内と外 No. 2」

球形を吊り下げた形に見えるソトの浮遊感は、単純な解釈を許さないにもかかわらず人気があった。ソトの作品の下で駆けまわる子どもたちに向けて拍手が集まったのは、見る人々の素朴な反応だろう。

休日の午後、写真を撮れないほどの人だかりが絶えなかったのはP・プリーの動く抽象だ。全体は全く単純な形だが、上下とも一二分割された金属弁が花びらのように揺れ動く仕組みに、熱心な目が集まっていた。

自分を問い続け、内面を深く探る意味ではロダンの系譜につながるジャコメッティの異様に引きのばされた人体、内臓を引きずり出して凝視するかのようなL・ブールジョワの自虐的な造形が、明るい陽光の下でも沈黙へと誘いこむ。

一方、すべて直接的な構成で安定の中の不安定感を探ったアガムの金属立体、連続の中の不連続を見つめたマックス・ビルの石彫などには、見えない世界を知的に問い直す快感も秘められている。

しかしこの会場では人通りの少ない時間を選んで見なければ、作品に精神を集中することがむずかしい。誰でもが通れる公共空間の中で開く野外展示の場合、それは一つの限界かも知れない。

（『日本美術工芸』一九九六年六月号）

日本人がモローを好きな理由は何か

パリのモロー美術館は、近ごろ入場者の八割が日本人だという。

男にとって致命的な女「ファム・ファタル」の典型を描き、ギュスターブ・モロー（一八二六～一八九八）がヨーロッパをにぎわせたのは、一〇〇年余り前のことだった。その画風は二〇世紀の時流に合わず、母国フランスでは没後しだいに話題から遠のいてきた。しかし近ごろ日本人の間では、なぜか人気が高まりつつあるようだ。

一九九五年の春から秋にかけて東京と京都で開かれた「モロー展」は、二会場で三一万六〇〇〇人が入ったという。出品の一〇〇余点に油彩の大作は少なく、小品と素描が多かったにもかかわらず、これほど大勢が見に来ていた。日によっては混雑のため、小品が見にくかったという不満さえ聞いた。

こんなモロー人気の原因は、どこにあるのだろうか。

今回の日本展とは別に、モロー美術館の管理責任者から朝日新聞パリ支局が、かつてこんな話を聞き出している——

「この美術館の有料入場者は一年で約三万人。そのうち八〇％が日本人で、とくに若者が多い」

「私が一〇年前ここに勤め始めたときから、日本人が多いのは目についた。当初は六〇％だったが、その後さらに増えた。カタログや絵葉書も、約六〇％が日本人に売れている」

「モローがこれほど日本人に好かれる理由は、その芸術の神秘性にあるのではないか。彼の絵画の内面性、夢想性が日本人の性向に合うのだろう」（一九九四年「現代パリの幻想画家たち」カタログから）

この説明を素直に受け止めるなら、少し飛躍するかもしれないが思い当たるのは、近ごろ話題の多い宗教と若者たちの結びつきだ。

いま日本には新旧合わせて一八万四〇〇〇の宗教団体があるという。地下鉄サリン事件など不祥事を続けざまに起こしたオウム真理教はその中の一つに過ぎない。研究者として、職業人として将来を期待されていた若者たちが意外なほど多くオウム真理教に引き込まれていたの

写真＝ギュスターブ・モロー「死せる女詩人とケンタウロス」1890

は、氷山の一角かと思われる。

現代の日常に根本的な不満を感じて、信仰の内外を彷徨している人々が少なくないことは、すでにオカルト・ブームや占いの流行などからも、さまざまに語られてきた。その彷徨に共通している問題は、個体の生命を超えた共同体の在り方と、歴史を超えた宇宙的時間の流れを探ることに、ほぼ集約できるのではないだろうか。

このように考えてみると、今の日本でひそかなモロー人気が高まりつつあるのも、時代の変動に添うことだろうかと思われてくる。またフランスでは多くの人々から前世紀の遺物とも見なされていたモローの神秘性に、いま心を惹かれる日本人の反応には、それなりの必然性があるのかとも感じられる。

社会的背景のほかに、美意識それ自体の変化も起こっているはずだ。二〇世紀に入ってから美術の流行が激しく変わったあげく、一般の愛好者はとても付き合いきれなくなったためか、いまや新しい動向に対する反応が全く冷ややかになっている。その中で見直されつつある作品の特色を、自分の美術取材経験から考えてみると――〈一〉人を引き付けるメッセージがあること、〈二〉表現技術が魅力的なこと、に尽きる。

モローの場合、そのメッセージが聖書やギリシャ神話と結びついていた。二〇世紀美術の主流は宗教画、歴史画を時代遅れと見なし、どんなメッセージを盛り込むことも嫌って「美術に出来ることは何か」だけを追求し続けたから、この数十年間モローの評価が下がるのは当然だっただろう。また「ファム・ファタル」という女性観にも、母国でいま不人気の一因がある。

一八七六年、彼が聖書を新しく大胆に解釈し、聖者ヨハネの生首を所望した王女サロメ像を油彩・水彩の両方で発表したところ、画期的な反響が起こった。そのサロメ像に刺激された芸術家たちの作品でワイルドの戯曲、ビアズレーの挿絵、リヒアルト・シュトラウスのオペラなどは、いまでも名高い。ただし、それら全体を含む「ファム・ファタル」のイメージには、男性との差別を認めない今世紀の女性解放運動から見れば、許せない偏見もこもっていた。

フランスでモローの評価が生前に比べて低すぎる理由は、美意識と人権感覚の両面から解釈できるだろう。近ごろモローに熱い目を向けだした日本人の場合、フランス人ほど公式的に考えているとは思えない。モローが繰り返し迷いながら、研究を重ねながら描き続けた神秘的生命観の中に、自分の現状を投影しながら見ているのではなかろうか。

たとえば一点で何十年にもわたって描かれた「踊るサロメ」は、メッセージを容易に読み取れない。しかし、対話を続けたくなる探求の跡が確かに見受けられる。画中の人物で目立つのはサロメだけだが、その裸身の輪郭からはみ出して広がる入れ墨状の文様によって、立体感は平板化されてゆく途中だ。肉体の記号化が、ここで進みつつあるのだろうか。周囲の空間は、遠近すら定かでない。

(『日本美術工芸』一九九五年九月号)

没後の見直し一層進むフェルメール

オランダのハーグで開かれたフェルメール展は大変な人気だった。一六七五年に四三歳で亡くなった後、長い間歴史に埋もれていたこの画家は、いまや欧米各地から団体の鑑賞ツアーが押し寄せるほどになっている。

三月一日から六月二日までの会期は、一週間延期されても連日満員だった。

私は会期が延期になると聞いた五月下旬に入場券の予約を申し込み、六月四日に見ることができた。パリから夜行列車でハーグに行き、朝八時半の開場に合わせてマウリッツハイス美術館に入った。当日券売り場の前に長い列を作っていた人々は、どれほど早くから来ていたのだろうか。

展示場はすぐ満員になった。こうなると、作品が見えにくくて困る。フェルメールの作品に、現代の画家たちが競って描くような大画面はほとんどないのだ。

今回の出品中、最も大きい「マリーとマルタの家の中のキリスト」で、サイズは一六〇×一四二センチ。入場券に印刷されていた「赤い帽子の少女」は、原画が二二・八×一八センチと小さい。欧米各地から集められた作品は全部で二三点だ。その主力は、おおむね五〇号（一一六・七×九〇・九センチ）前後だった。

それは、たとえば初期の名作「牛乳しぼりの女」で、白の使い分けに気づいたときだ。赤い壷からそそがれる牛乳の白が見事なのは以前から複製で知っていたが、原画で感心したのは白壁と、それを背に立つ女の作業帽の白だ。壁の方はいくつかの釘跡を残して、本来の堅さをさりげなく描き出した白。作業帽の方は厚手の布だが、折り目にも垂れ加減にも、布でなければ見られない風合いが分かる白。しかもそれぞれの白は窓から射しかけてくる光の中で、淡いかげりから濃い影まで、全く自然にとらえられている。だからこそ、女の肉付きがよく分かる作業着の黄や青、卓上にある大小のパンやカゴの茶色が鮮やかに浮かび上がって、全く平凡な暮らしのひとこまに静かではあるが実に確かで、深い存在感が息づいているのだ。

フェルメールは身近な情景の迫真的な描写と、日常を超えた静寂によって再評価が高まった。しかし、彼が生涯を送った一七世紀のオランダでは、レンブラントをはじめ真に迫った描写で世界に知られた画家たちが少なくない。本展のカタログで、マウリッツハイス美術館のヨルゲン・ワドゥム絵画部長は、当時のオランダ派画家たちが迫真的表現のためにカメラ・オブスキュラ（暗箱）を利用することは珍しくなかったと記している。また、画面にピンを刺して遠近表現の焦点を定め、そこから必要な方向へ糸をはって、近くの物から遠くの物へと画面の上で小さくして行く比率を確実にしたことも、実作を分析した図や写真で示した。
「牛乳しぼりの女」についてはX線写真ものせており、牛乳をそそぐ右手の少し上に、ピンを刺した跡が見える。フェルメールも、当時知られていた遠近表現のノウハウを確かに利用したことが分かる。研究熱心な上、よい絵の具を惜しまずに使って描いたが、綿密な画風のためか作品は少なかった。彼の死後、夫人と二人の子供の生活は非常に苦しくなり、裁判所に申し出て借金返済を免除してもらったと記録されている。

フェルメール本人の書いたものや話したことは何も記録が見つかっていない。したがって一九世紀から彼の評価が高まり始めたのは、全くその作品自体の独自な魅力だけが原因になっている。

最初のきっかけはオランダ国王ウィリアム一世が、「建国の父」といわれるオレンジ公ウィリアムの埋葬地、デルフトの風景を描いたフェルメールの作品を見つけて買い上げ、マウリッツハイスに飾ったことからだとい

写真＝フェルメール「デルフトの眺望」1659-60

う。それが一八一六年の記録にある。以後じわじわとフェルメールの見直しが進み、一八六六年にフランス人画商トレ・ビュルガーがフェルメールの画期的な再評価を雑誌に発表した。

所在の確かな作品が少なかったところへ贋作が入りこむ一方、愛好者たちの収集競争に米国の大富豪が続けて加わってから、話題は急激に広まった。美術市場とは別に歴史学者ホイジンガー、小説家プルーストらが激賞したことで、作品本来の魅力を確かめようと観たがる人々も増え続けてきた。

きっかけになった「デルフトの風景」は、自分の身辺を描き続けたフェルメールが迫真の描写技術に独自の工夫を加えた上、わが町の象徴ともいうべき運河と教会を中心に広い眺めを見渡した画面だ。その独創は空に浮かぶ巨大な黒雲の下と、その向う側に射す陽光の下で明暗の異なる地上の眺めに奥深い脈動感を表したことで、全く日常的な水辺の風景が微妙に変質していることだ。雲とともに時は流れている。その中の、ある一瞬の明暗が永遠の空間につながって行く。これは祈る心の原初にかすめる一瞬でもあろうかと、思われる空間だ。

この絵の前で私には、遠い記憶の中の古い歌が思い起されてならなかった。

「薄く濃き野辺のみどりの若草にあとまで見ゆる雪のむらぎえ」—宮内卿（新古今和歌集）

（『日本美術工芸』一九九六年八月号）

第五章　心に残る人々

イサム・ノグチ　全体評価が必要

イサム・ノグチが生きていた間に聞いておきたかったことが、私には、たくさんある。しかし、イサムさんは一九八八年一二月三〇日に、ニューヨークで亡くなってしまった。

「あなたは日本人なのに、東洋の哲学を知らないのね」と、かつて私は面と向かっていわれたことがある。その翌日、私は早速『老子』と『荘子』の日本語訳を買って読んだ。彼が自作の抽象彫刻を説明してくれたとき、自分は若いころから老荘思想に関心を持っていたといい、たとえば「VOID（虚空）」と題した石彫は、それに共感した表現の一つであると話したのだった。

その石彫は見上げるような高さで、三角形に近かった。太い円柱を組み合わせてあるのだが、なめらかに接続されているため、一つの輪を三角状にゆがめて立たせたような形に見えた。輪の中は虚空―からっぽだった。

イサムさんは、その「虚空」が「ゼロ」ではないことに気づいてほしい、といった。老荘思想で重視される「無」は、目に見えないエネルギーをはらんでいる空間、力の生まれてくる根源であり、それが自分にとっての「ＶＯＩＤ」なのだ、と。造形的には、なめらかな円柱が石の質感を保ちながらも生命体のしなやかな動きを感じさせ、三角形に区切った空間を張りつめた静寂で満たしている作品だった。イサムさんの説明を聞かずに作品だけを見たならば、私はその作品をヘンリー・ムアと堀内正和の中間くらいに位置づけて、勝手に納得していたかも知れない。スケールの大きな実在感ではムアを、軽妙なバランス感覚とさりげなく意表をつく構成に堀内を感じながら。

そこで、東洋哲学の「無」にまで到る精神性の表現を読みとることは、それだけの素養がなければ無理なのではなかろうか。私を含め大半の日本人は多分、その点だけでもイサムさんを深く理解しきれないで、軽く見過ごす可能性が強い。

この人にとって東洋の古代思想を学ぶことは、単に知的な訓練としての素養ではなく、もっと切実な探求だったと思われる。彼の父は日本の詩人、母は感受性ゆたかな米国人の女性で、さかのぼればインディアンにつながる血筋だったことが知られている。彼と長年親交のあった米国の哲学者、バックミンスター・フラーの回想によると「できれば一つの強力な文化に、さもなければ、せめてある社会グループに、同胞としてしっかりと所属することに対して、イサム・ノグチは深いあこがれを抱いていた」という。それが不可能と分かった後のイサムさんは、父の詩人、米次郎が一度は志向した「東洋と西洋のかけ橋」になることを、生涯のテーマにしたのではなかったか。

この人は年譜によれば一九三〇年から翌年にかけて、中国で毛筆デッサンを学び、日本では陶芸

の修行をしている。自分は何者であるかを問いながら、精神の系譜を中国古代思想までさかのぼることは、若い日のイサムさんにとって必然だったのかも知れない。
一九八九年二月。大阪市内で開かれた「イサム・ノグチ遺作展」で、やはり中心部は虚空になっている石彫と出会ったとき、ふと私は、イサムさんが近くから話しかけてくるような気がした。「あなた、まだ勉強してないのね」と、穏やかに苦笑しながら。実際、初めにさとされた後急いで読んだ『老子』も『荘子』も、そのとき十分理解できなかったまま時がたち、いまはすっかり忘れてしまっているのだ。
イサムさんは、石彫のほかに金属立体、土の焼きしめ、紙の造形と、従来の彫刻家たちよりもはるかに多様な立体表現を試み、橋や庭園、環境造形にも際立った仕事を残している。その幅の広さは、再びバックミンスター・フラーによれば、「現

写真＝イサム・ノグチ「エナジー・ヴォイド」1971

代において比類のない、包括的な芸術家」であることの証明にほかならない。

ニューヨークで一〇年前に出版された大冊の作品写真集を見ると、老荘を意識する感覚はイサム・ノグチ独特の表現要素の重要部分ではあるが、決してすべてではないことに気づく。この人の歩みには、日米両国の血と、フランスで教わったブランクーシ直系の抽象感覚、舞踊家マーサ・グラハムや陶芸家北大路魯山人らをはじめ深く交わった世界各国の芸術家たちに刺激を受けながら発展させてきた造形思考とが、一体化されているのだ。

その全体像を理解することは、誰にとっても容易ではないだろう。第二次大戦後の日本で、陶芸も含む立体造形の新たな表現を展開した作家たちの多くは、イサム・ノグチから画期的な影響を受けていた。それにもかかわらず本格的な「イサム・ノグチ論」は、未だに書かれていない。没後の新聞・雑誌でも、イサムさんが果たした役割にふさわしい追悼文は見当たらなかった。私的な弔意は別として、戦後日本の芸術史と文化交流を的確に跡づけるためには、このままでは済まされまい。

追悼展で見た石彫は、人々が立ち去った後、静かな照明の下で、重さのない空間へ浮かび上がって行くかのように美しかった。しかし、照明の届かない闇の空間も同時に見えていて、そこで私たち自身が問われていた。国際化時代のいま、世界に通用する日本人の美意識とは何だろうか、と。

(『日本美術工芸』一九八九年五月号)

定型詩と通じるか菅井汲のS字画面

パリに住み着いて四〇年の菅井汲が東京、芦屋、倉敷の三会場へと巡回させた新作展を、私は芦屋市立美術博物館で見た。一九九二年の初頭である。

出品されたのは、S字形の表と裏を連続させたパターンの連作だ。

事前に聞いただけの段階では、あまり面白そうに思えなかった。だが実物を見て驚いた。同じ大きさで同じパターンを繰り返した大作の一つ一つが、全く豊かに表情を変えていた。

「やりましたね、菅井さん」。私は会場で、記憶の中の彼にひそかな拍手を送った。

四、五年前だったかパリに出張した時、長くパリに住んでいた菅井のアトリエで、未完の小品を見せられたことがある。もとは明快なハードエッジの抽象であり、一度は完成していたと思われる画面だ。「長い間忘れていたんだが、引っ張り出してみたら手を加えたくなって――」。新たに描き加えたというよりも、塗り重ねたと見える跡が異様だった。

それは四〇年ほど遡る初期作品の情念を、再び探り直したようなタッチで塗られていた。菅井が一九五二年にパリに行き、まず濃淡に微妙な変化のある抽象で国際的に認められた時期の情念と陰りのある心の起伏が、塗り重ね部分に復活していた。ただしそれが、情感のニュアンスなど全く排除したハードエッジの色面の上におかれた結果、画面全体の統一感は明らかに壊されていた。

菅井の画風で、詩的表現が好評だった一〇数年を第一期とすれば、一九六〇年代中ごろから意思的に単純化したハードエッジの約二〇年は、第二期と言えよう。

私がアトリエで見せられた小品は、第二期の意思に第一期の感情をせめぎ合わせ、その対比から何が生まれるかを探ろうとした試みの一つだった。

「どう思いますか、こんな作品」と尋ねられたとき、「狙いは面白い」と私は答えた。なぜだったたか?

第一期の菅井作品に心を惹かれた頃の記憶は、私の中で根強い。それが邪魔したためか、第二期の作品に私が不満だった期間は長い。その不満が、第二期作品と何度も接するうちに薄れていた。しかしその後も私の心のどこかに、菅井の感情表現をもっと

写真＝菅井汲「S30 & S31」

見たいというこだわりが残っていたのだろうか。だから、ハードエッジのぶち壊しとも見える試作に興味が湧いたのかも知れない。

それから数年。自分が病気で仕事を休んだ時期もあって、その後菅井の試みがどう進展したかを知る機会は、今回の新作展までなかった。

S字型ばかりが出展されると聞いた時、私は心配だった。結局ハードエッジの延長に過ぎないのではないか。それならばまた不満が残るだろうか、と。

しかし芦屋の会場で私は「ああ、良かった」と思った。どの画面も基本パターンは同一だが、一つ一つに違った心の起伏がよどみなく現れている。機械的なシステムで作図されたS字型の画一性が、文字の上に重なったり割り込んだりした線と面、色彩の共生によって解消されている。

かつてハードエッジの画面では私にとってしばしば押しつけがましく感じられたスピード感も、今回のS字画面からは消えていた。これらの新画面にも運動感はあったが、それはハードエッジ作品が誇示していたスピード感とは違っていた。

それでも画家本人はこれに不満らしい。芦屋展の会期終了近くに出た「週刊朝日」(一九九二年一月三一日号)のインタヴュー記事で、菅井は次のように話していた。

「今回新作を展示してみて、失敗したなと思ってます。二二一点の作品はサイズもフォルムも全部同じですが、やる本人も退屈だったもので、色とマチエールにヴァリエーションを持たせてしまった。比較的多くの人がよいと言ってくれたので、よけいに全部同じものを作るべきだったと、思いを強くしています。次回は、ヴァリエーションを一切排除した作品にしたい」

この画家はいつも自分に厳しく、なれ合いを嫌ってきた。好評の新作展について会期中から自己批判を公表するのも、謙遜からではないようだ。

しかし画家の自己批判を離れて私はこのシリーズに、新しい楽しみの可能性を望んでおきたい。同じ基本形から、違う感情の表現を展開することだ。これは日本人の心の歴史の上で、珍しいことではない。たとえば俳句。良く知られた例をあげれば――

「五月雨をあつめて早し最上川」　芭蕉

「五月雨や大河を前に家二軒」　蕪村

五・七・五の韻律を菅井のS字型と対応させて考えることは、強引過ぎるだろうか。

「菅井さん」と、この次どこかで会った時に私は言いたい。「短い定型詩の伝統的感覚も、あなたのS字シリーズに何らかの形で、反映しているのではないでしょうか」と。

（『日本美術工芸』一九九一年三月号）

具象と抽象に同じ情熱残す　須田剋太

「グァーンと響いてくるような感動がね」と、須田剋太は口調を強めて私の顔を直視した。「一つ一つの作品にも、それを展示した会場全体にもなければいけない」

それは五月末の事だった。すでに今年初めごろから入院していた須田さんの衰弱は相当に進んでおり、私は軽く挨拶できればよいと思って社会保険神戸中央病院へ見舞に寄ったのだが、話し始めると彼は病床から身を起こしかけるほど熱中したのだ。

須田画伯の頭の中には、いつも絵の事しか詰まっていないようである――そんな風に小説家の司馬遼太郎さんが記した感想を以前に読んだとき、全くその通りだと同感したものだが、それを病室であらためて思い出した。

司馬さんの紀行連載「街道をゆく」が「週刊朝日」誌上でスタートしたのは昭和四六年一月一日である。その当初から須田さんは挿絵を担当した。以後二〇年近くにわたる名コンビの話は、すでにいろんな誌紙で知られているから省こう。ただしその連載が始まった前後の事で、実に須田さんらしいエピソードがある。

今は亡き村松寛・大阪芸大名誉教授が前職の朝日新聞記者だった時期に、新聞の高校野球特集フロントページを須田さんに描いてもらった。「なかなか迫力のあるいい絵だったが」と、晩年の村松さんが私に苦笑しながら話してくれた。「読者から投書が来てね、一チームの選手が一三人も画面に描かれているのは変だと言われた」。紙面をカラー印刷して全国に配ってしまった後の事だ。つねに正確な報道をモットーとしている新聞の立場から、これをどう釈明すべきか。

「あわてて須田さんのところへ相談に行ったんだ。その時の返事がみごとだった。なるほど、これが須田剋太という絵描きの真骨頂かと思わされたよ」。そう村松さんが話したことは、おおむね次の通りだ。

「私の絵を見て、選手の数をいちいち気にするような人間は放っておけばいいんですよ」と画家は、村松さんの心配をはね返した。「いったい絵を見る者にとって、一番大切なことは何ですか。感動でしょう。私が苦心するのも、一枚の絵の中に感動をどうやってつかみ出すか、ということです。そのため、画面上にどうしても必要だった選手たちを描いた結果、あの絵が出来た。それを見る人に私の感動が伝わって行けば、選手の数なんてつまらんことは気になるはずがないですよ」

そして一昨年。同じ高校野球が第七十回記念大会を迎えたとき、こんどは私が担当記者として須田さんに「記念特集号らしい絵を」と、お願いに行った。「できましたら今度は、選手の数もルール通りに」と恐る恐る話したところ「まだ、あんなことを気にしているんですか」と、一瞬、にらまれたような感じがした。しかし顔をあげて見たら須田さんは笑っていて「とにかく、前よりもっといいものを描きましょう」と、言ってもらえた。

完成した画面には、あの巨大な甲子園球場全景が超満員のスタンドと、真剣にプレー展開中のグラウンド両方の熱気とともに、描かれていた。激しい勢いのこもった筆のストロークとタッチ、重い緊張を伝える不透明な暗色。それと強烈な対比をなして点々と貼り込まれた鮮明な原色の切り紙のコラージュ。一目でこれは大変な手間と根気のいる仕事だと分かったが、ほとんど同じ絵を須田さんは何と二枚も制作していて、そのうち気に入った方が渡されたのだった。あのとき八二歳だったはずだが、そんな高齢とは全く感じさせない迫力が、そこにあった。

この画家が具象と抽象のどちらにも、同じ情熱を注いでいたことは広く知られている。それは画家一般の在り方を考えると、奇妙だとも見られかねない。現に熱心な須田ファンの中では、具象だけを歓迎して抽象を認めないと広言する人々がいる。

私自身はどちらかと言えば、須田さんの本領は抽象にあると思って、ご縁ができてからこれまで十余年間その作品に接してきた。できることなら、お元気なころにご本人の口から徹底的な論議を聞いておきたかった。画集「私の曼荼羅」やその前後の個展のカタログなどに、しばしば観念用語を独特の情熱で駆使しつつ記された芸術論、絵画論もあるが、それらを読んでもまだ私にはなかなか理解できない。要するに、描きたいと思った時の心の高まりに応じて筆を振るえば、それが時には抽象にもなり具象にもなるという事なのか——自分としては大雑把にそう受け止めてきた。

評論家の海上雅臣さんはもっと広い視野から、一元的に見ている。「一口で言えば、須田剋太の具象も抽象も、信楽の壺と同じことじゃないのかな」。壺から適当な距離を保って描けば、そこに具象的なイメージが判別できる。しかし壺からうんと離れるか、逆にうんと近づいて描けば、画面全体に現れるのは抽象になるだろう。だから例えば信楽の壺と向かい合うときの距離の取り方を考え合わせるなら、須田さんの絵は一つの基準で両方を判断できるはずだと、海上さんは言うのだ。

その話を聞いたのは、須田さんの没後ほど遠くない頃だった。もっと早く聞いておけば生前の須田さんと、その視点をめぐって話を深められただろうかと思う。会えなくなった今でも私は、この人の画集を広げて具象、抽象を見比べながら、ぼんやりと考えることが楽しい。まだ須田さんが、近くにいるような気分になれる。

（『日本美術工芸』一九九二年三月刊）

写真＝須田剋太「白」

島田修二郎さんの耳痛む日本美術論

「絵を見るとき、近ごろの若い人々には一期一会の気持ちがなく、甘くなっている。見る機会に恵まれすぎているためだろうか」と、島田修二郎さんに言われたとき、私は耳が痛かった。

ことし八二歳の美術史学者、島田修二郎プリンストン大学名誉教授は、いまも京都府向日市の自宅で研究を続けておられる。最近二度にわたってお宅にうかがい、その話を聞くことができた。穏やかな話しぶりだが、その内容は深く、鋭かった。一昨年刊行の『日本絵画史研究』に続いて、今年中には『中国絵画史研究』も上梓される予定だ。その二冊に、島田さんの全体像は集約される。しかし、今回私がうかがった話の中には、著書の論点を端的に整理して俗耳にも分かりやすく表現され、しかも忘れることのできないほど鋭い美術史上の指摘があった。とくに強く印象に残ったことを、ここに記しておきたい。

島田さんは昭和三九年から五十年までプリンストン大学で日本美術講座を担当し、その後ハーバード大学で二年間、中国美術史を講義された。

ある年、日本美術のすぐれたコレクションで知られるフリーア・ギャラリーに学生たちを連れて行き、何の予備知識も与えずに俵屋宗達筆「松島図屏風」を見せて感想を書かせたところ、日本人とは全く違う反応が出てきた。画中にたなびく雲が、彼らには雲と思えないというのだった。また、海として描かれた部分は、奥に引っこんでいる空間だと見られた。

宗達の屏風は、これが日本に残されていれば国宝クラスの指定は間違いないと思われる名品だ。日本人がそれを見た場合、雲や海を正しく理解できないことは、まずありえないだろう。しかし、米国人学生たちには不可解な表現であることが、明らかになったのだ。

「その原因は、宗達の表現が非常に装飾的だからです」と、島田さんは言われた。宗達を一つの頂点とする琳派の美意識は、日本人独特の装飾感覚の典型だと、歴史的に定評がある。その装飾美が、

写真＝島田修二郎さん

島田さんの海外教授体験によれば、欧米人には理解されにくいのだ。

「日本の美術は古くから、中国美術をお手本にして育った。しかし欧米人から見ると、中国美術は分かっても日本美術は分からない、といわれることが多い。中国人は精神の表現を目ざし、論理的に一貫した描写をする。一方、日本人が好む装飾的な表現は、精神性の追究が不徹底で、一貫性に欠ける。いわば、中国人が深く考えようとして描いたのに比べ、日本人は考える姿勢を学ぶはずだったが途中で歌を歌ってしまった、ともいえよう。その点が、欧米人にとって不可解なのです」

作品の実例について、説明していただいた。雪の中に立つ松竹梅を描いた「雪裏三友図」。応永〜永享（一三九四〜一四四〇）の間に、日本で描かれた水墨画である。中国で北宋のころから、松竹梅をまとめて三清、または三友と名付け、水墨画に画くことが文人画家の間に流行した。この三友は、他の草木が枯れしおれるきびしい寒さの中でも生気が衰えない。それらは節操のある文人士大夫の自然界における象徴とみなされ、好みの画題とされたのである。

日本にもその思想は伝来し、室町時代の禅僧らが盛んに三友図を描いた。説明を受けた絵もその一つだが、注目すべき点は描写にある。画面では松竹梅それぞれの上に、雪が積もっている。

「中国の三友図で、これほどに雪に重点を置いた表現は見られない」と、島田さんは指摘された。「節操を象徴するためには、寒さに耐えるだけの力強さを、雪の描写ではなく筆の強さ、きびしさで表現するのが中国的な考え方です。しかし日本人は、季節感の表現を好む傾向が強いために、中国では象徴的だった描写を、冬の実景にまで引きもどすことになってしまったと思われる」。これでは、雪景色も一興と、雪の情緒を楽しむ結果になっているわけだ。

装飾性と情緒性―そのために日本美術は、中国美術よりも欧米で理解されにくいのだといわれる島田さんの指摘は、私にとって、単に過去の作品だけの問題とは限らないように思われる。欧米人に理解されにくいということは、表現の普遍性に欠けているため、ともいえるのではないだろうか。

経済大国と、自他ともに認められるようになってからの日本でも、美術について大国と評価されるほどの実績は、どれだけあるだろうか。海外で日本の代表的な美術といえば、二十世紀も終わりに近い現在でさえ、いまだに浮世絵が最大の話題にされているのだ。明治以降の近代日本で、世界の美術史に名を残した作家は、非常に少ない。

その理由を考えるときに、島田さんの指摘は鋭く、深く突きささってくる。日本国内の美術市場では異常なほどの高値で売買されながら、海外には全然通用しない画家たちが多すぎる現状の批判にまで、それはつながっていく。なぜか私たちの間では、「見る人」だけでなく「作る人」の方にも「一期一会」のきびしさが足りないのではなかろうか、と。

（『日本美術工芸』一九八九年七月号）

江戸の美術を心の懸け橋とされた人

「私は日本の人々に義理がありますと、リブシェ・ボハーチコヴァーさんは、驚く私にいった。

「ですから、あなたのお仕事のお手伝いをしても、お礼を戴くつもりはありません」。

私がチェコスロバキア（当時）の首都プラハで一週間、美術の取材をした後のこと。五日間はボハーチコヴァーさんの勤めていた国立博物館を案内してもらったり、他の美術館・博物館での通訳など親切に助けていただいた。最後の日、私が業務上の通例どおりに通訳料を払いかけたら、おだやかに笑いながらだったが、実にきっぱりと固辞された。

「義理？」。自分が忘れていた古い日本語、しかもそれを時代遅れと決めつけていた思い込みに不意打ちを食らって、私は返すことばが出なくなってしまった。

あれから八年になる。先日ボハーチコヴァーさんが亡くなられたと聞いた後、当時の驚きと、いつくせない感謝の気持ち、いずれ違う形でお返しをと思い続けてまだ十分に済んでいない申し訳なさが、複雑にからみあいながら浮かんできた。

一九八六年四月の中ごろ、私は「東欧の日本美術」というテーマの取材でユーゴスラヴィアとポーランドの後、チェコスロヴァキアに入っていた。いまは二つに別れているチェコとスロヴァキアが、プラハを首都として一国にまとまっており共産圏内でソ連にがっちり統率されていた時代だ。私は入国ヴィザをなかなか取れなかった段階から共産圏特有の警戒心と官僚主義に悩まされ、こちらも警戒心と違和感を持っていた。

しかし初めてお会いしたボハーチコヴァーさんは、その国に対する私の先入観と違い、共産圏の硬直したイメージと正反対の人物だった。以前に別の取材で知っていた甲南女子大学の松平進教授、友人が紹介してくれた東京外国語大学の千野栄一教授の両方から、プラハでは彼女に会いなさいと勧められた理由が、仕事を重ねてゆくにつれよく分かった。

国立ナープルステク博物館。八万点の館蔵品があるうち、日本美術が二万点を占めるとボハーチコヴァーさんは言った。この人は、その日本美術を担当する学芸員なのだった。江戸時代の美術、とくに七百点まとまった館蔵品になっている型紙が大好きで、それだけの特別展を開いたこともあるほど。その一方で、上田秋成「雨月物語」をチェコ語に翻訳もしていた。江戸

写真＝チェコ国立ナープルステク博物館の学芸員
リブシェ・ボハーチコヴァーさん

文化については、日本人の私よりもはるかに詳しかった。

この人の通訳でインタヴューをした国立ギャラリーのルボール・ハーイェク東洋美術部長が、浮世絵について四冊の研究書を出しており、その一冊は大阪の浮世絵だけをまとめていたことにも驚かされた。私は大阪で十年ちかく美術記者をしていながら、地元の浮世絵などほとんど知らなかった。

ボハーチコヴァーさんが達者な日本語で私の仕事を温かく、きめ細かく助けて下さったのに通訳料を固く固辞されたのは、自分が日本に留学したとき多くの日本人から親切にしてもらったお返しのつもりと言われた。しかし、私がそれに甘えてしまうのは筋違いだ。一昨年、国際日本文化センター客員教授として京都に来ておられたボハーチコヴァーさんを、ミュージカル「キャッツ」にお誘いできたときは嬉しかった。帰国されるとき、江戸美術の本を何冊かまとめて送りますと約束した。それを果たせないうちに逝かれたのが、いまとなっては辛い。ボハーチコヴァーさんの心は、いまもナープルステク博物館の中に生きていると思うので、そこへ送らせてもらうことにしたい。

ところでボハーチコヴァーさんが日本の美徳と見なしていたらしい義理は、第二次大戦前後、身軽に変節できた日本人の間で消滅してしまったように思われる。そんな倫理観を彼女が認めていた心の底には、ソ連の締め付けが厳しかった自国の中で、イデオロギーの拘束に従い切れない感覚が潜んでいたのではないだろうか。

いや、彼女が義理といっていたのはイデオロギーや法秩序以前の人間的な信頼関係であった、とみたほうがよいかも知れない。または伝統的な日本人の気質のうち卑小な面、軽佻浮薄な面ではなく、こまやかな優しさと、循環的に生きる共生感覚だったとも感じられる。私とは美術の話をしただけなので、自国の政治や社会の現状についてボハーチコヴァーさんが何を考えていたかは、いまや確かめようがない。しかし彼女に限らずハーイェクさんにしても、イデオロギー上は敵に当たる日本の美術を愛していたこと自体が、深い意味を持っていたに違いない。

八年前、私がプラハを離れて二週間後に、ソ連でチェルノブイリ原子力発電所の爆発事故が起こった。その放射能汚染が周辺諸国まで巻き込むのを防げなかったことは、ソ連および共産圏崩壊の大きな引き金になった。

大阪でボハーチコヴァーさんと「キャッツ」を見たのは、ソ連がロシアになり、チェコがスロヴァキアと分裂した直後だ。再会までの激動は、実に大きかった。この人はそこに何を感じていただろう。聞きたかったが聞けなかった。しかし目は、やはり穏やかで温かい微笑を浮かべながら、以前よりも強い自我の光を放っていた。

まだ六〇代後半くらいのはず。病死と伝え聞いただけだが、とてもすぐには信じられない。

（『日本美術工芸』一九九四年七月号）

創造としての収集続けたパンザ伯爵

アメリカ現代美術の収集で世界的に有名なイタリアの実業家、ジュゼッペ・パンザ伯爵のコレクションは内容に持続的な創意と愛着が行き渡っており、全体が一つの素晴らしい作品であるように感じられる。イタリアでそのコレクションを見せてもらい心を動かされた後帰国してから、念入りに作られたカタログを読んで、さらに共感が深まった。美に心を捧げて生きる人々は多いが、コレクターとして彼のように真摯な人は歴史的にも珍しいのではなかろうか。

「私は少年の頃から、考え込む性格だった」と、この人は思い起こす。父親は意志が強く決断力に富んだ人で、ワインの販売や不動産業に成功し町や業界の公職にも長年尽くした結果、一九四〇年に当時のイタリア国王から伯爵の称号をうけた。

その父から少年は「出来の悪い息子」と見なされていた。仕事熱心な父と違って息子は、結婚前によく絵を描いた母の感化から美術を好み、また読書にふけって、とりわけ没頭したのがドストエフスキーだった。

母方の伯父が自分の買った古い城で壁の塗料をはがしながら、その下にあった中世のフレスコ画を復元していた間、それを手伝い自分の手でも絵をよみがえらせた珍しい体験。熱病で四〇日ほど学校を休んだとき、イタリア美術がたっぷりと収録された百科事典を熱読し、三五巻もあった事典中の絵画全部について作品名と作者、流派や時代をすっかり暗記してしまった熱中の思い出。ラテン語と数学が嫌いで公立校に行けず私立校に入ったが、その校風が自由だったため、公立で押し付けられていたファシズムの教育を受けずに済んだというひそかな喜び。大戦中はイタリアの学徒動員を逃れ、不戦のスイスに受け入れてもらえたという得難い幸運。

生涯の最も多感な時期に彼は、この世代とすれば稀なほど自由に恵まれていた。不自由になったのは戦争が終わり、帰国して大学を卒業後に父の事業を引き継いでからだ。決断が遅い。その性格が

写真＝ジュゼッペ・パンザ伯爵夫妻

事業に合わない。「私は異星人みたいだった」。父が一九四九年に死んだ後、彼が遺産を減らさないようにと、親族たちは厳しく見守っていた。

美術のコレクションは、そんな暮らしの中で始まった。一九五五年に結婚し、家の壁に絵が欲しくなって、いくつか買ったのがきっかけだ。それが一年で気に入らなくなった。二流の作品には飽きてしまうのだ。

一九五六年、一つの方針を決めた。新しい作家の最良の作品だけを買おうと。その背後には、ゴッホの絵を生前に買った人が誰もいなかったのは何故だ、と問い直す意識もあった。

その秋、「機械の文明」という雑誌で見たアメリカ作家フランツ・クラインの絵に心を惹かれた。アメリカの画廊からクラインの作品写真を取り寄せ、気に入った一点を五百ドルで買うことにした。通信販売だが、届いた作品は予想以上によかった。

「私たちは幸せになりたい、完全な人間になりたいと願う。しかし、その通りに実現することは決してない。もっと美しい何かを求める願望も限りある現実の壁によって、阻まれてしまう。その相克を、私は常に意識してきた。不可能と知りつつもぎりぎりまで求めて行くクラインの感情表現は、私の心境にぴったりだった」

その前後にタピエスとフォートリエ、三年後にラウシェンバーグとロスコ。それぞれの作家にとって、後から見れば最良だったと分かる時期の作品を、このコレクターは見逃さず購入した。

ラウシェンバーグ以降の収集は、ほとんどアメリカ作家ばかりになって行った。重要な作家はヨーロッパよりもアメリカに多いと判断し、年に一、二度は二週間ずつ渡米。そのたびに若手でどんな作家に見どころがあるかを人々に聞き、画廊や作家のスタジオを見歩いて集めた資料をミラノへ持ち帰り、長い間研究するのだった。夕食後自室に閉じこもる。毎晩遅くまで資料を読み、作品写真を眺め、考える。何を買うか決めるのはその後だった。相続した財産には手をつけない。事業の収益で自分が自由に使える金を、すべて美術品収集に回した。それを妻も、進んで助けた。レジャーの旅行はせず、大きな自動車も買わなかった。

美術愛好家の間には一種の上昇志向や自己顕示欲から、ステータス・シンボルにもなるような話題作を追いかけ、手に入れたがるような人々が跡を絶たない。それに比べて、世間にあまり知られていない作品を、自分の心に触れて来るから見たいという人々はどれほどいるだろうか。

パンザ・コレクションのカタログに、パリ市立美術館でジャコメッティの彫刻展と、アグネス・マーティンの抽象絵画展が並行して開かれていたときの回想がある。パンザ氏にとって「今世紀最高の画家の一人」であるマーティンの部屋は「ほとんど砂漠みたいで、私だけしかいなかった」「ジャコメッティの部屋は混雑していた。それだけ有名なためだろう。表現の奥深さはマーティンの方が優れていることに、人々はさっぱり気が付いていなかったのだ」このような好みでパンザ氏が収集を続けてきた限り、そのコレクションは話題作などと全く無関係だった。

心の奥で、自分にとって何が大切かを問い続けてきた人。日常の空間では気づかれにくい疑問を、いつも捨てきれない人。光でも風でも、言葉を含めたどんな音でも沈黙の中でわずかな変化を起こす時に、豊かな時間を感じられる人。たとえばそんな人々が、パンザ・コレクションに深く共感するのではないだろうか。

（『日本美術工芸』一九九三年一一月号）

第六章　戦後の日本から独自の展開

熱い抽象に世界が注目─ユーゴスラビアの具体美術展

ゆったりと流れるドナウの大河が、サバ河と合流してさらに大きくなる。ユーゴスラビア国立現代美術館は、その合流点に近い公園の一角にある。対岸の丘には緑の木立と入り混じって点々と屋根が見え、高い塔が天を指している。首都ベオグラードで、最も美しい眺めの一つだ。この美術館で五週間、五月四日まで開かれた展覧会は、こぞって報じた現地の新聞・テレビによれば「画期的」だった。

引っ張りだこの「GUTAI」

その内容は、一枚で二畳分ほどもある大作を主体に油絵五〇点、パフォーマンスの録画ビデオ、写真パネル多数──日本の「具体美術協会」を代表する一六人の作品である。このグループは第二次大戦後、パフォーマンスに先行するハプニングを世界でいち早く始め、その行為の跡ともいえる強烈な抽象画面を多数残した。ほぼ同時に起こった欧米の「熱い抽象」に呼応してパリ、ニューヨークなどで開いた海外展は、世界の美術史に名をとどめている。世界に通用する日本の美術団体は「GUTAI」だけ、とも見なされてきた。

一九七二年リーダーの吉原治良が没した後、グループは解散し、一〇年近く話題から遠ざかった。しかし近年は再び「熱い抽象」の見直しが世界的に盛り上がって、いま「GUTAI」は引っ張りだこだ。ユーゴ展の前には、同じ内容の作品群がスペイン国立現代美術館で二か月余り展示された。今年末にフランスのポンピドー・センターが開く「前衛芸術の日本」展は、内容こそ違うがやはり「GUTAI」を最重要部門の一つにするという。

ところで「GUTAI」の画面には、富士山やバラのような写実的イメージが全くない。こんな作品を国の予算で日本から招き寄せるのは、社会主義の看板を掲げる国では例がない。

「心の中に入りたい」

「現代の日本をできるだけ正しく理解したい。そのためには『GUTAI』をじかに見ることが、私たちの生理的欲求だったとも言えるでしょう」。イレーナ・ストヤノビッチさんは展示担当者

写真＝ユーゴスラビア国立現代美術館の具体美術展会場

としてこう話した。この女性はフランスに留学し、帰国後は地元の大学で美術史を教えていた。美術館に入ってから今回の企画を練り続けた結果、日本の国際交流基金に申し入れたのが一年ほど前だったという。

「カメラやステレオをはじめ日本の工業製品は、いまユーゴで憧れの的です。映画『将軍』がブームを起こしたり、三島由紀夫の小説が売れ続けているのも、憧れと無縁ではないでしょう。しかしその程度のイメージや情報で日本にのぼせ上がることは、あまりにも偏った日本趣味に終わってしまう。そんな日本趣味を乗り越えたいときに『GUTAI』の強烈な画面は何かを教えてくれるのですよ」

同美術館の研究者たちや、来日したこともある画家ラドミル・クンダチーナ氏らとイレーナさんは、しばしば語り合ってきた。「いまキリスト教社会は行き詰まっているから」という彼女の考えは、仲間たちの一致した見方でもある。「それとは違う仏教文化の伝統に西洋の技術を結び付け、発展してきた日本人の心の中に、私たちは少しでも深く入って行きたい」

この人たちが会場で最も強く惹かれたのは、白髪一雄の作品である。赤と黒の激しいうねりを暗く抑えた画面の奥に、日本人の内面的な伝統を保ち続けながら激動の時代を生きてきた感覚が、象徴的に感じられるからと言うのだった。

予想以上、活発な反応

会場へ来た一般市民の反応は活発で、予想以上に深い。子連れで来た若い母親は「よく分からないけど」と断りながら、巨大な円を一つだけ描いた画面の前でじっと立ち止まった。「形も色も純粋だから、好き。でもよく見ると円が少し歪み、揺れているようで面白い」。これは吉原治良の晩年の大作だ。

「大戦中はナチを相手に、パルチザンで戦った」という老人も、この円が気に入った。しかし同伴の女性は「ミロも円を描いていたでしょ」と、銀髪の頭を横に振った。「私の感じでは、ミロの方が上」

ユーゴでは、誰もが実にはっきりと意見を言う。それは、この国が六つの共和国の連合体で多様な文化や言語を持つこと、労働者が自主管理の社会主義制度の下で常に議論することと関わりがあるという。夫婦は共働きで、女性の自己主張も全く男性と対等だ。

会場で三時間余りも見ていた教師風の男性は「地質技師」だった。赤、黄、青がぶつかり合って流れる元永定正の連作を何回眺め直したことだろう。「火山の噴火口付近でもドロドロの溶岩が、これと似た状態になるのを私は職業柄知っている。しかしこの画家の表現力はカメラの写実を超えている。日本人が熱くなったときの心のエネルギーは、こんなに激しく流れ出すのでしょうね」

（朝日新聞文化面、一九八六年五月一六日）

版画大国としての日本

受賞一五％は日本人

ポーランドの由緒深い古都、クラクフで開かれる国際版画ビエンナーレは世界中の版画家にとって、最も有力な登竜門の一つだ。これは一九八二年、国内の「連帯」労働者を抑えた戒厳令の影響で一度中止されたが、人気は少しも衰えなかった。それどころか発足して二十年、復活後二回目になる今年は、開幕を間近に新たな話題が出ている。

その一つはこれまでで最高の応募数だ。四七か国から四、三五〇点も集まった。「前回よりもほぼ千点多い」と、ビエンナーレ運営委員長のR・オトレンバ氏。入選は八百数十点にしぼられる予定だから競争は厳しい。

もう一つの「最高」は、「日本に関わっている。日本人の応募作が全体の二〇％。もともと版画の盛んな国だが、それにしてもこんな現象は初めて」――オトレンバ氏は笑った後で、少々複雑な表情も見せた。

「国際親善を考えるなら、できるだけ多くの国を入選させたい。ところが全体を同じ基準で審査すると、質・量とも抜群の日本に圧倒されて、一つも入選できない国が出る恐れさえある。そこで今回、日本だけは他の国より厳しく審査せざるをえない。やむをえず落選させる日本作家には申し訳ないが、私たちの内情もどうか理解してください」

過去の受賞者を見ると、なるほど日本は質が高い。第一回の一九九六年に大賞を菅井汲、優秀賞を浜口陽三と池田満寿夫が受けてから前回の一九八四年まで、日本人は毎回必ず誰かが受賞してきた。通算二一人。これは受賞者全体の一五%に上る。

現代に伝統生かす

なぜ、これほど日本は強いのか。

「日本では料理に〈隠し味〉というテクニックがあるそうだが、版画の色や形でもさりげなく、しかし見事に〈隠し味〉を生かした画面が多い」とオトレンバ氏。「他の国に比べると際立って画面処理のキメが

写真＝浜口陽三「暗い背景のぶどう」1961

細かい。これは日本の伝統なんでしょうね」

伝統といえば浮世絵に思い当たる。かつて歌麿や北斎の木版刷りは、欧米で熱狂的なブームを呼んだ。しかし、その技法は江戸の終末とともに廃れた。いま盛んな現代版画は銅版、石版、シルクスクリーン――と西洋の技法がほとんどを占める。それも大きく広がったのは一九五〇年代の末頃から。高度成長と重なり合ってきたのだった。これらの作品はほとんどが、浮世絵と全く無縁のようにさえ見えるのだが――。

「昔も今も変わっていない特色は、日本人の〈縮み志向〉といわれるような体質にある」と小倉忠夫・京都国立近代美術館長はいう。「小さい世界の中に感情を込めるとき、その体質が実に生き生きと効果を発揮する。一方、スケールの大きい絵や彫刻が得意な国の人々は、日本人ほどキメが細かくない。だから我が国の現代版画が急速に成長し、世界のどこへ出品してもトップクラスに入るのは、自然なことじゃないですか」

版画センター構想

ユーゴスラビアの京都ともいうべき古都リュブリアナでは、一九五五年からやはり国際版画ビエンナーレを開いてきた。参加国数は当初の一二が近年は六〇カ国まで増えている。一年おきの開催でクラクフとかち合わない仕組みだが「歴史の古さ、規模の大きさでは目下世界一です」と、Z・

クルチシュニック理事長がいった。

昨年までの一六回のうちグランプリを受けた作家は日本が浜口陽三、木村光佑、松本旻（あきら）、野田哲也、荒川修作と五人いて、地元ユーゴの受賞者数と並ぶ勢いだ。

この勢いにクルチシュニック氏は「日本の特別展示コーナーを作りたい」と、いま構想を練っている。その予定場所は、近く着工する国際グラフィック・センターの中だ。

リュブリアナ版画ビエンナーレの三〇周年記念に、新センターを設けることが決められた。鉄筋コンクリート四階建て。敷地は、従来ビエンナーレ展会場にしてきた古い美術館から遠くない山の中腹にある。ここでは作品展示とともに各国作家を集めたシンポジウム、版画の公開制作もする。すでに六〇〇〇人分溜まっている世界中の版画家の資料を、利用しやすい形式で保管する。

これらの構想がすべて実現すれば、版画専門の展示・研究施設としてはどこにも無いセンターになるはずだ。しかし「予算は必ずしも十分でないため」と、氏は腕組みをした。「日本の企業にも支援を頼みたい。世界一の版画専門センターなら、日本の優れた作品展示と共に、そのコーナーを支援する企業のイメージは必ず上がると思います」

日本とは政治体制の異なるユーゴで、そんなアイデアが出てきたことには驚かされる。しかしクルチシュニック氏は目をそらさずに話し続けた。「多く刷れる版画は、少しでも多くの場所で原作を見られるという民主的な特色によって、今後ますます重要になる。日本の人々も、それはお分かりでしょうね」

いまや日本は「版画大国」になった。これからは作品だけでなく資金面の進出にも、大きな期待がかけられているのだ。

（朝日新聞文化面、一九八六年五月一五日）

実用を越える美意識

純白の糸が無数に集まって、美しい生き物のような起伏を描く。濱谷明夫の作品だ。糸を織らず、染めず、ぴったりと並べて釣りさげただけなのに、デリケートで奥深い表情が伝わってくる。これによって濱谷は昨年、ポーランドのウッジ国際テキスタイル・トリエンナーレで銀賞を受けた。同時に、吉田晃良は全く異質な意欲作で銅賞を受けている。

テキスタイル・アート（繊維造形）は実用的な染織を基盤にしながら、それを超えた表現へも枠を広げつつある。その新しい表現によって、日本の作家たちが世界的に名を揚げていることは、もっと広く知られてもよいだろう。

「発想自由」日本の作家

ポーランドはテキスタイルの国際コンクールで、スイスと並ぶ二大中心地の一つだ。昨年の参加者が三二か国から百五人あったという応募数は、スイスを大幅に上回る。日本はここへ、一九七五

年から三二人が出品し、濱谷らの前にも小林尚美の金賞を含めた三人が受賞した。ヨーロッパ勢が驚くほどの活躍ぶりだった。

「発想が自由なんですね、日本の作家たちは」。いつもコンクールの会場になるウッジ中央染織博物館のN・ザビシャ館長が言った。「ヨーロッパの作家たちはタピスリー（壁掛け）の伝統に捉われすぎるのか、大胆な実験が少ないのですよ」

ポーランドで日本人が抜群に光る舞台はもう一つある。ポスターのワルシャワ国際ビエンナーレだ。一九六八年、最初のグランプリを亀倉雄策が獲得した。その後に永井一正、福田繁雄、横尾忠則――と八人が同じ栄誉に輝いている。

このコンクールは〈一〉社会・思想、〈二〉文化、〈三〉商業の三部門に分かれ、世界各国からの応募は四千余点、そのうち八百～九百点が入選する。グランプリは

写真＝濱谷明夫「White Aro」1980

部門ごとに選出されるが、過去にこれを受けた数はポーランドの十人、日本の八人が特に多く、他の国はバラバラだ。

「宣伝」超えるポスター

ポーランド作品の強みは、優れたアイデアにある。日本は技術で迫る。「両国の長所を結び付ければ世界最高のポスターができる、と日本の審査員に言われて考えた。確かにその通りですね」——J・フィヤコウスカさんは言った。彼女はワルシャワにあるポスター美術館のベテラン学芸員で、国際ビエンナーレを世話してきた有力メンバーの一人だ。

この美術館には四万五〇〇〇点のポスター・コレクションがある。「ほとんど全部の国々から集めてきた。質・量とも世界一でしょう」と、フィヤコウスカさん。その中で日本の作品は千余点。最も人気の高い福田繁雄の九〇点を筆頭に、一八三人のポスターが収蔵されている。福田によれば「優れたポスターは、単なる宣伝以上の意味を持つ」。芸術的な表現としては都市空間を生き生きと活気づけ、歴史的資料としては時代の好みを最もよく反映するからだ。「ポーランドの人々はポスターの深い意味を、早くから大切にしてきた。私たちもそれに見習うべきではないでしょうか」

暮らしに結び付いた美としては、絵本を見落とすことができない。この分野で見習うべき国はチェコスロバキアだ。ポーランドの隣国にあって、やはりポスターやイラストなどの国際コンクールも開いているが、それ以上に名高いのは絵本の国際ビエンナーレである。開催地のブラチスラバは、チェコスロバキア第二の大都市。一九六七年から一年おきに開いてきた。

ここでもやはり日本は強い。第一回のグランプリは瀬川康男、優良賞に丸木位里が選ばれた。それから第十回の昨年までに日本は毎回受賞者を出しており、計十七人。その中で安野光雅は、グランプリに次ぐ「金のりんご賞」を二回受けたほかに、昨年は一人で特別コーナーを与えられ、原画七十点の個展も開いたほど人気がある。

昨年ブラチスラバでは、五八カ国の絵本二五〇〇点と、その原画二万点が展示された。この規模はイタリア・ボローニャの絵本コンクールと並んで、世界最高の水準にある。しかしビエンナーレのD・ロール委員長は、まだ満足していない。今後はアフリカや中南米からの参加を増やしたいという。

「良い絵本は、子供だけでなく大人の心も開いてくれる。絵本を通じて、世界中の人々が触れ合う機会を広げられたら、どんなにか嬉しいことでしょう」。ロールさんの話しぶりは静かだが、その内容は情熱に満ちていた。

ロールさんとそっくりの情熱をポーランドでも、私は確かに感じさせられた。テキスタイルにせよポスターにせよ、それを通じて政治や言葉の壁を乗り越え、心を通わせようとする情熱によってこそ国際コンクールは続けられているのだ。これと同じような行事が、我が国にどれだけあるだろうか。経済水準や政治体制の問題はともあれ、チェコスロバキアやポーランドの人々のこの面に現れた心の豊かさは、私たちを大きく上回っていると思われてならない。

（朝日新聞文化面、一九八六年五月二二日）

小豆島で国際石彫シンポジウム

姫路港からフェリーでほぼ二時間。大小さまざまな島影を見ながら、穏やかな瀬戸内海を横切って、小豆島の福田港に着く。香川県小豆郡内海町。古くから知られた石材の産地である。ここで町制四〇周年を記念する「一九九一小豆島国際石彫シンポジウム」が、七月一七日から八月二五日まで、六カ国の彫刻家一八人を招き開かれた。福田港に近い採石場など三カ所が制作現場である。

一般のシンポジウムは報告と議論、つまり言葉を通して行われるが、彫刻の場合は作家たちが集まって公開制作する。一九五五年にオーストリアのサンクト・マルガレーテンで、地元の彫刻家カール・プランテルが欧州各地の作家たちに呼び掛け、自主運営で開いた彫刻シンポジウムが世界で最初の例だ。

当時は資本主義諸国と共産主義諸国との間で厳しい冷戦状態が続いていた。その両方の国々から、プランテルが彫刻家を呼び集め、公開制作を通じて「芸術に国境無し」という信念を確かめ合ったことは画期的だった。以後、同じ方式の彫刻シンポジウムはサンクト・マルガレーテンで続けられるほか、世界各国へ広がっている。

日本では東京オリンピックにちなみ、神奈川県真鶴町で開かれたのが最初になる。それに対抗する意味も込めて、一九六八年に小豆島で「日本青年彫刻家集団シンポジウム」が実現した。参加した作家は四二人。その後は毎年数人が夏休みを中心に来島し、石を彫っている。「正式に名付けられなくても実質はシンポジウムと同じ」公開制作が、ここでは二〇余年続いてきたわけだ。

当初から今年六月まで地元石材組合の理事長を務めていた湊光雄さんは「いままでにここへ来て石を彫った作家の数は延べ五〇〇人余り」という。「島に残された作品は一〇五点あります」
今回のシンポジウム参加者は海外から五人、国内から十三人。国内作家の大半は過去に湊さんの世話になった経験があり、彼らは今回の制作を「湊さんの同窓会」とも呼んでいる。
彫刻シンポジウムの創始者カール・プランテルが今回参加したことは、小豆島だけでなく日本の美術界全体にとって、大きく評価されるべきだろう。この人は一九七〇年の大阪万国博にちなむ鉄鋼彫刻シンポジウムで来日した際、小豆島を訪れて湊

写真＝制作中の石彫を磨くカール・プランテル夫妻

さんの長男宅に泊まったことがある。そのころ町内に放置されていた石彫を見た彼が、作品をもっと大切にした方がいいと助言した結果、町の一角に彫刻公園が造られたのだった。

いまプランテルは六十八歳。高齢のため今回の参加は無理かと思われた。しかし、かつてサンクト・マルガレーテンで制作し、感動した山本哲三、三上浩らの熱烈な呼びかけによって、プランテルは二度目の来日を決めたのだった。

「大阪万国博のときより、小豆島の方が本来のシンポジウムらしい。大切なことは、作家の自発性なのだ」と、この人は制作現場で話してくれた。

正面は開けた海。左右に美しい岬と、変化に富む島々が見える。その波打ち際に近い砂の上で、プランテルの制作は進められた。重さ七トンの巨石は、直方体に近い形だ。ダイナミックに割った跡の荒々しい手触りを残しながら、石の筋目に沿って大小の円い起伏が付けられ、磨き込まれつつあった。

付き添ってきた妻の画家、ウタ・ペイレルはしばしば絵筆を休めて、磨き上げに加わった。二人で石の肌をさすりながら、プランテルの話してくれた言葉が忘れられない。

「地球がいまの姿になるまでの長い長い歴史を、石は私たちに伝えてくれる。それを感じるためには、手でじっくりと触ってみてほしい。手の先には、もう一つの目があるのだ」

（『日本美術工芸』一九九一年一〇月号）

信楽の山里で画期的な世界陶芸祭

日本六古窯の一つ滋賀県信楽町の窯業地で開かれた「世界陶芸祭」は、実用を離れた造形ばかりの「国際現代陶芸展」で最新の国際的水準を示しつつ注目された一方、同時開催した「世界の形象土器展」と「ちえおくれの人たちの世界展」も想像を絶する珍しい作品や、日常感覚では思いもよらない表現で人々を引き付けた。会期は四月二〇日から五月二六日までの予定だったが、入場者を会場へ運ぶ単線鉄道が五月一四日に衝突事故を起こして中断、そのまま閉幕したのは全く残念だった。「世界陶芸祭実行委員会（会長＝滋賀県知事）は全期間の入場者を三五万人と予想していたのだが、中止になるまでの二十五日間で六〇万人を突破したほど人気が高かったため、中断は惜しまれてならない。全体の内容は地理的には欧米からアジア、中南米まで含み、歴史的には先史時代から現代までと実に多様で、画期的だった。

「国際現代陶芸展」の出品作は、展示の総括指導に当たった乾由明京大名誉教授によれば表現が新しく、陶芸の特質にこだわっていることを基準に選んだという。土を素材にした新しい表現でも、それを焼き締めてない作品は除外された。一〇年ほど前に「クレイワーク（粘土作品）という発想が生まれ、粘土を生のまま使って意表を突く作品も現代美術だという主張も勢いづいてきたのだが、それに対して陶芸の特質は「土と火」にあると近年改めて主張し始めた多数派の再認識が、このたび国際的に強調されたわけだ。これは乾教授も主要メンバーの一人である「国際陶芸学会」の見解ともいえるだろう。

選ばれた陶芸家たちは八か国の二六人。木でも石でも金属でもなく、土だけに可能な「火による焼き締め」を制作の基本にした上で、新たな独創性を発揮した作品ばかりだ。まず目についたのは秋山陽の大作。黒一色なのだが、焼き締めた表面に無数の亀裂がざわめくように走っており、その奥へと沈み込む黒の深みから、現世を超えた異次元の生命感とも言えそうな表情が伝わってくる。ユーエン・ヘンダーソン（英）、クラウディ・カサノバス（スペイン）、カルメン・ディオニス（ベルギー）の三人

写真＝秋山　陽「Oscillation II」1989

もそれぞれの造形表現は全く異質なのだが、土だけに可能な焼き締め効果から内面凝視の深く長い問いかけが伝わってきて、思わず立ち止まらされた。

最多の九人が選ばれた米国勢は、色も形も変化に富んでいた。女体と動物を組み合わせながら、全体の形を巨大な壺に仕上げたルディ・オーティオは、現代米国陶芸の一典型だろう。〈一〉器の形を問い直すことで陶芸としての独自性を確かめる、〈二〉人間像を現代人の感覚で再発見する——この二つの傾向は現代陶芸の中で近年目立つ新しい流れだと、乾教授はいう。オーティオの作品は両方の傾向を備え、それに絵画的な色調の効果も加えていた。

リチャード・ノトキンが率直な社会的アピールを様々な形のティーポットにこめた表現も、米国以外では考えられない一例。たとえばポットの本体が人間のドクロ、蓋のつまみが核爆発のキノコ雲になっていた、そのアピールは子供たちにもすぐ分かったようだった。

開幕初日の四日間はシンポジウムも開かれた。

写真＝ルディ・オーティオの作品

初日には「現代芸術としての陶芸」が論じられ、乾教授が時流の分析を含めながら展示内容にも触れて講演した。その内容からも会場の出品作からも、米国の現代陶芸は新しい熱気の中にあると感じられた。しかしもう一人の講演者だった米国人評論家マチュー・カンガスが「米国西海岸の陶芸は、いまや危機的状況にある」と話し、乾教授が触れなかった状況を伝えた。

カンガスによれば第二次大戦後、米国西海岸で現代芸術としての陶芸を開拓したピーター・ヴォーコスらの第一世代が引退しつつある現在、それに続く世代には先輩たちと並ぶほどの創作が生まれていないという。しかも大学で陶芸を専攻する学生が減り、州立大では奨学金までも減らされている。世界的な競売会社クリスティーズの昨年のオークションで、予想額を上回る値段の落札があった陶芸家はわずか三人しかいなかった。その一方で装飾的な鑑賞用の器は増えているが、芸術としての創造性は全体に低下するばかりである——と。

陶芸の歴史上、実用性を離れ純粋な立体造形としての自立を図る創作活動は、第二次大戦後から始まった。難解と言われても新たな創造を同時多発的に目指した先駆者はヴォーコスらと、京都の八木一夫を中心とする「走泥社」の作家たちだった。カンガスの指摘した状況は、現代陶芸にとって確かに放置してはいられない問題を感じさせた。ただしシンポジウム初日のパネリスト五人の中ではカンガスが孤立しており、現在の米国では見せ場の多い表現が主流になっているようだと感じられた。それに近い表現は他の国々でも見られ、日本では中村錦平、三輪良作、井上雅之、徳丸鏡

写真＝ジュゼッペ・パンザ伯爵夫妻

子ら、イタリアのウーゴ・ネスポロ、英国のアンガス・サティらがその系譜で記憶に残っている。

この陶芸祭で一般入場者に分かりやすく、しかも珍しい作品が多いことでとりわけ人気が高かったのは「世界の形象土器展」だ。写真撮影が禁じられていたにもかかわらず、私が会場にいた間だけでも何回かカメラのシャッター音が聞こえてきた。この展示のために海外各地の土器を手分けして実地調査し、購入してきた作品は全部で一一四〇余点。その中からインドネシア、ニューギニア、メキシコなどの珍しいものを中心に選び出した二三〇点が選ばれ、会場に並んだのだ。その中には日本の作品も縄文土器、埴輪、伏見人形など十余点が入っていた。

各地の神話や伝説、古い呪術や原始信仰の名残を伝える表現が、作られた地方によってこれほど違うものかと驚かされ、楽しまされる会場だった。美術展ラッシュの近ごろ、近・現代の陶芸展は続々と開かれるのに比べ、このような土器展は非常に少ない。それも、今回人気が高かった一因だろう。

土器は、芸術として意識される以前から、無名の工人たちが共同体の中で作ってきた歴史を伝え、現代人の日常から失われている古い古い感情の奥へと語り掛けてくる。現代の日本では、それも新鮮な刺激になるのだろうか。たとえばインドネシア土器の怪奇な鳥や蛇、ニューギニア土器の大胆に単純化されながらも生き生きとしている人や獣は、盗み撮りしたくなるのも不思議ではないと感じられるほど心を引き付けるのだった。

シンポジウムの四日目、木村重信阪大名誉教授が「民族とやきもの」をテーマに講演した。土を焼き締めた人や動物の形象土器は、二万六〇〇〇年以上も前から作られていたと、彼は話した。最古とされてきた作品は、チェコスロバキアで出土した女性像を放射性炭素の年代測定に掛けた結果、判明したのだった。

それほど古い土器の歴史の上で、もっと見直されてもよいことは触覚の重要性だと、木村教授はいう。土は人間の手によってどんな形にでも変化する。その手触りを確かめながら、人類は土器を作ってきた。土を扱う技術が発達するにつれて、土器よりは強くて多様な表現もできる陶磁器が重視されるようになったが、触覚の根源的な生命感を知る上で土器には深い意義があるという。

触覚を通じて人間と土が一体化した跡を伝えることで、最もユニークだった展示は「ちえおくれの人たちの世界展」だ。前衛陶芸の先駆者、八木一夫の没後に「走泥社」の中心となっている鈴木治京都市立芸大教授が、この展示のカタログに書いている――「もう三〇年も前のことですが、当時私たちの仲間で知恵遅れの人たちに強い思い入れを持っていた八木一夫が、折に触れ盛んにこの子らのつくったものから受けた大きな感動を伝えてくれていたものです。以来、私にはその様々なやきものが心の奥深くにあります」

現代の芸術として陶芸の可能性を根源から探り直そうとした八木は、知恵遅れの人が土の手触りを純粋に楽しんでいた跡から、触覚の重要性を確かめていたのだった。

会場の作品群は美麗な鑑賞陶器と比べるなら、異様な外観ばかりだ。しかし、ここで米国人評論家カンガスの指摘を思い起こしてもよいだろう。創造としての陶芸とは何か、と。国際日本文化センターの梅原猛所長は「ちえおくれの人たちの世界にこそ、我々が教えられるものがある」と、やはりこの展示のカタログに記した。

滋賀県には日本の社会福祉史上で忘れることのできない人物、故糸賀一夫氏をはじめ、からだや心に障害のある人々の福祉向上のため、運動を続けてきた実践家が少なくない。「ちえおくれの人たちの世界展」は、それらの実践と結びついて実現されたのだ。これによって、「世界陶芸祭」は地場産業の活性化以外に、他の自治体の「ふるさと振興」イベントには欠落していた福祉の充実を、開催目的の一つの柱にすることができた。

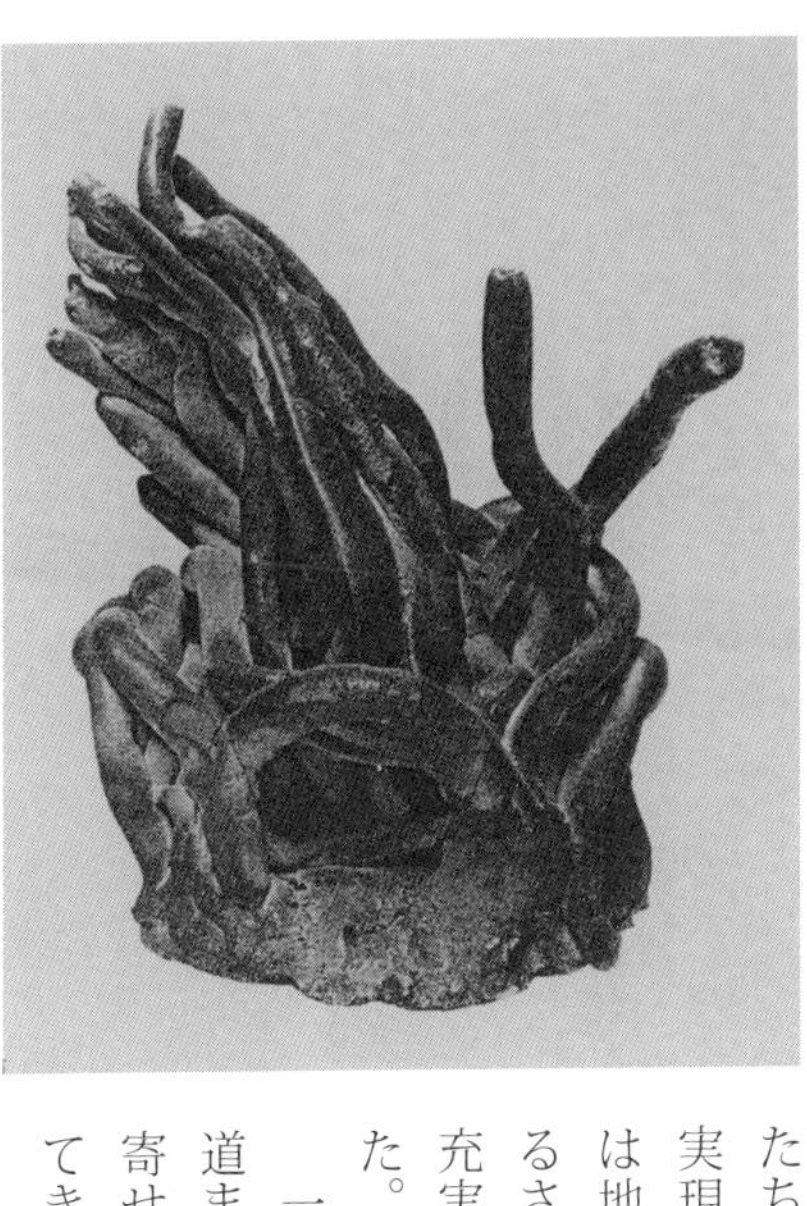

一九七〇年の大阪万国博以来、沖縄から北海道までの地方都市でどれほど多くのお祭り的人寄せイベントが、活性化をうたい文句に開かれてきただろうか。それらのほとんどは物産と映

写真＝ちえおくれの人の作品

像、飲み食いのパビリオンを寄せ集めたものだった。信楽の「世界陶芸祭」も陶芸遊園地やワールドレストラン、「世界の陶器市」などでお祭り気分を盛り上げ、人寄せに懸命だったことは他の地方博と変わらない。しかし〈陶芸〉という一分野だけに絞ったこと、〈二〉不便な山里を世界に直結させたこと、〈福祉の向上も目指したこと〉――この三条件によって、全く新しいタイプの「祭」を実現させたことは、美術を愛する人々の間で記憶に長くとどめられてもよいだろう。

（『日本美術工芸』一九九一年八月号）

ヒロシマで現代史を問う国際交流展
――「ヒバク70周年ヒロシマを見つめる三部作」

第一部「ライフ＝ワーク」　二〇一五年七月一八日～九月二七日
第二部「俯瞰の世界図」　同年一〇月一〇日～一一月六日
第三部「ふぞろいなハーモニー」　同年一二月一九日～二〇一六年三月六日

ズブの素人が描いた絵ばかりを五〇枚。美術の先端を探り続けてきた広島市現代美術館が、異例の展示に踏み切った。七〇年前、一発の原子爆弾で一五万五〇〇〇人が殺された被爆都市「ヒロシマ」。その中で何とか生き残った人々が、目に焼き付いた被爆の現場を、どれほど悲惨だったかと伝えるために描いた絵だ。

その現場報告に続き、捕虜体験を描いた香月泰男ら戦争世代に、被爆者遺品などを撮影した石内都ら戦後世代も加えた計一三人の作品が、大小合わせて三〇〇余点。これらの全体を第一部とした「ヒバク七〇周年ヒロシマを見つめる三部作」の展示は、二〇一五年七月に始まって、第三部終了の二〇一六年三月まで、九か月がかりという期間の長さも異例だった。

日本の敗戦から七〇年過ぎた二〇一五年は、戦争と美術を問い直す企画展が、全国あちこちの美術館で相次いだ。広島市現代美術館のほかに目立ったものだけでも――

栃木県立美術館「戦後七〇年：もうひとつの一九四〇年代美術」

東京国立近代美術館「特集：誰がためにたたかう」

「特集：藤田嗣治・全所蔵作品展示（戦争画一四点含む）」

名古屋市美術館「画家たちと戦争――彼らはいかにして生きぬいたのか」

広島県立美術館「戦争と平和」。終了後は、長崎県美術館へ巡回

長崎歴史文化博物館など長崎市内の六会場「被爆七〇年を考える現代美術展二〇一五」

このように多彩だった。

これらに比べて音楽や演劇、映画、文学などで戦後七〇年を意識した特別企画は、どの程度見聞されただろう。若干あったかも知れないが、美術が突出していたのではなかったか。この現象は、美術という表現分野の宿命的な特色を問い直し、混迷深い現状の今後を探ろうとした人々が奮闘した跡だったとも見られる。

戦争関連の美術展となれば、広島市現代美術館の注目率は特に高い。それは被爆都市から世界へ向けての発信を、発足当初から意識し、また海外からも期待されてきたためだろう。開館は一九八九年。準備時代（一九八五～一九八八年）から、国内外の有力な現代作家に制作を委託して

きた。「戦後五〇年記念展」の委託制作なども合わせて、集まった作品は現在一七五点。そのすべてが、テーマは「ヒロシマ」だ。常設展示室では随時入れ替えがあるものの、驚くほど多様な「ヒロシマ」作品が、いつ訪れても重く迫ってくる。その上に今回の企画展は、戦争と原爆を告発する路線の幅を大きく広げ、今までに無い問いかけをこめていた。

生き延びた実感の厳しさ――第一部　ライフ＝ワーク

真っ赤な火柱がそそり立つ。その上で、異様な煙が空を埋めてゆく。会場に入ってすぐ目に飛び込んできた画面だ。左上の片隅に小さな書き込みで、「S.20.8.6.AM9.00 中心地より 1Km の位置で被爆」とある。右下の端には「S.49.8. 松室一雄（六一才）」の署名。画面上では空中に細字で「雲空の間から数条の光線が出ていた」と書かれ、斜め下へ向かう光線の先には太字で「ものすごい火柱は渦を巻いて上昇　吸い上げたものが光線にあたり　キラキラ輝き　ものすごく恐ろしくもありきれいでもあった」と強調。

同じ瞬間を広島市の郊外で見た小倉豊文は「空中火山の大噴煙」と手記に書き、「しかも形は刻々に動いて、色も千変万化する。あちこちからは何十とない小閃光の爆発だ」と続けた。何とも異様な美の変幻だ。この手記『絶後の記録』は一九四八年、原爆体験記として最初に出版され、英訳も早く出回ったという。私は今回の展示で、被爆者らの作品だけでは分かりにくい状況を理解するため、この手記や峠三吉『原爆詩集』、原民喜の小説『夏の花』などを参考にした。

それにしても主催者が、素人絵五〇点を出品したことは英断だった。何よりも重要な特色は、ヒバク現場に自分が巻き込まれ、命からがら生き延びた実感の表現であり、臨場感の切実さだった。

写真＝小野木明「柱の下敷になった母親とその助けを呼ぶ少女」1974頃

絵だけでは伝えきれず、言葉で状況説明を添えた作品も多かった。それは表現の限界で、ギリギリまで苦しんだ結果だろう。死者を悼んでも悼みきれないもどかしさ、自分だけ生き残ったことに感じる申し訳なさ、理不尽な惨劇を引き起こした相手へのどうしようもない恨み――などが生々しく伝わってくる画面は、歴史上かけがえのない遺産となっている。

たとえば小野木明の絵。「場所天満南町　倒壊した家屋の下敷きになった母親のそばで女の子が泣きぢゃくりながら「オ母チャンを助けて」と近所の人々に助けを求めていた　男三人で柱を持ち上げようとすれどビクともしない火災が刻々と迫り助けようもないので　許して下さいと合掌してその場を離れた」と、画面右下を余白にして、書き込んである。

一五万五〇〇〇人が被爆で死に、生存者はその半分ほどしかいなかったヒロシマ。この絵のような悲劇は珍しくなかった。浮かんだ死体が多すぎて水面が見えない「天満川」を描いた中田政彦の場合、「被爆であまりにも熱いため川に飛び込まれたと思う。向こう岸は軍隊の兵士が多勢と思え川一面水ぶくれの状態で浮いて水死されていた。川の土手を見ると当時の思い忘れられず　合掌」と、画面上部の枠外に心情を吐露した。この画面が、真上から川を見下ろしたかのように抽象化を進め、水上の死体群を強調したのは、絵の常識にとらわれない素人ならではの発想だったろうか。

これらの絵は、広島平和記念資料館の収蔵品四〇〇〇余枚の中から選ばれた。さかのぼれば、NHK広島放送局が「市民の手で原爆の絵を残そう」と一九七四年に呼び掛けたことで約七五〇人から二二〇〇枚ほど集まり、広島平和文化センターに寄贈された後、さらに増え続けてきたものだ。その一部は全国六都市の巡回展で一度公開されたが、以後は話題になることもなかった。広島市現代美術館の「ライフ＝ワーク」展は、この貴重なコレクションの意義を、あらためて強調したのだ。独自の表現を追究してきた作家ら一三人の三〇〇余点は、組み合わせの変化で意表をついた。

香月泰男と宮崎進は、それぞれのシベリア捕虜体験から、死と背中合わせの状況で生き残った苦難の体験に基づき、戦後美術史に明らかな実績を残している。会場では、香月は暗く塗りこめた群像表現、宮崎は歪んだ人体描写と壊滅的な立像が目立った。どちらも絵だけでなく、香月はガラクタのような遺品や石のオブジェ、宮崎はボロ切れの強引な張り合わせに、抑えきれなかった鬱屈と絶望感を伝えていた。

広島県出身の作家が五人。

四国五郎は、敗戦後三年間のシベリア抑留から帰国したら、弟が原爆で亡くなっていた。原爆詩人・峠三吉の著作表紙絵や挿絵で知られ、反原発の絵本なども多い。抑留中、靴に隠して書き続けた「豆日記」に基づき、帰国後に絵も文章も手書きで製本した記録絵本と、シベリア当時の古靴までが出品された。

大道あや。被爆者。絵を描き始めたのは夫の死後で、六〇歳になっていた。「原爆の図」で有名な画家、丸木位里の妹だ。しかし兄の作品には「ちいと違う」「あれは絵じゃからね」と、話していたそうだ。「広島の原爆記念館にある絵描きじゃない人たちが描いた絵を見ると〈ああ、これじゃ、このとおりじゃ〉と、胸が痛うなるんです」。会場の出品作は、経営していた花火工場の事故で死を早めた夫への追悼もこめたに違いないが、異様な爆発・閃光と色の混沌は、原爆投下直後の空を描いた素人絵よりも圧倒的にすさまじい。

殿敷侃は原爆投下の二日後、疎開先から母と共に広島の爆心地へ来て、二次被爆した。爆心地付近で勤務していた父は見つからず、母は原爆症で5年後に死亡。自分は長期入院中に美術製作を始めた。母の遺品をはじめ、描かれた物や人は不気味な静寂に包まれ、抽象に近づいた果ての画面では、真っ黒な粉塵ばかりが揺れていた。

入野忠芳。被爆者。原爆で壊滅した都市の惨状を直接描いてはいないが、被爆しても倒れず、枯死もせずに生き残った樹木を描き続けてきた。単なる美を超えた表現。生命力へのこだわりが、異様に感じられる描写も少なくない。

後藤靖香は一九八二年生まれ。戦争を知らない世代だが、戦争体験者の話や遺品、自分で調べた記録や絵画に触発されてきた。群像表現にこだわり、それぞれの表情をマンガ風に描き分ける。太い黒線の筆触がユニークだ。二〇一二年絹谷幸二賞を受けた。

他県出身者で、ヒロシマと縁が深いのは写真家の石内都。二〇〇五年ヴェネチア・ビエンナーレ日本代表になった頃は、街頭の気配や、人体の傷跡を撮った作品の独自性で評価されたが、二〇〇七年からは広島平和資料館の被爆者遺品を撮る「ひろしま」シリーズを、継続的に撮り続けてきた。会場では、焼け残っていても爆風で引き裂かれた跡が無残なワンピースや、針が焼き付いてしまった腕時計などが、傷ましく迫ってきた。

すべて小品だが二三八枚の細密画を出したのは、江上茂雄。会社に在職中から定年後まで描き続けた画のうち、A四の紙に描いた植物だけを「私の鎮魂花譜」としてまとめた。ほぼ三〇年間の労作。今展のテーマ「ライフ＝ワーク」を、改めて感じさせる出品だった。

見下ろす視点のスケール感——第二部

真っ黒に焼け焦げた無数の木片と、溶かした鉛の板を張り合わせた平面作品。「一九四五年八月六日」と、名付けてある。高さ二・三m弱、幅二m余りの大作だ。

まさにその日、広島は原爆で、全市が壊滅した。その無残な焼け跡を無数の焦げた木片で表し、それでも水は絶えなかった川が大きく曲がりくねって流れていた光景を、鈍く光る鉛で感じさせる。

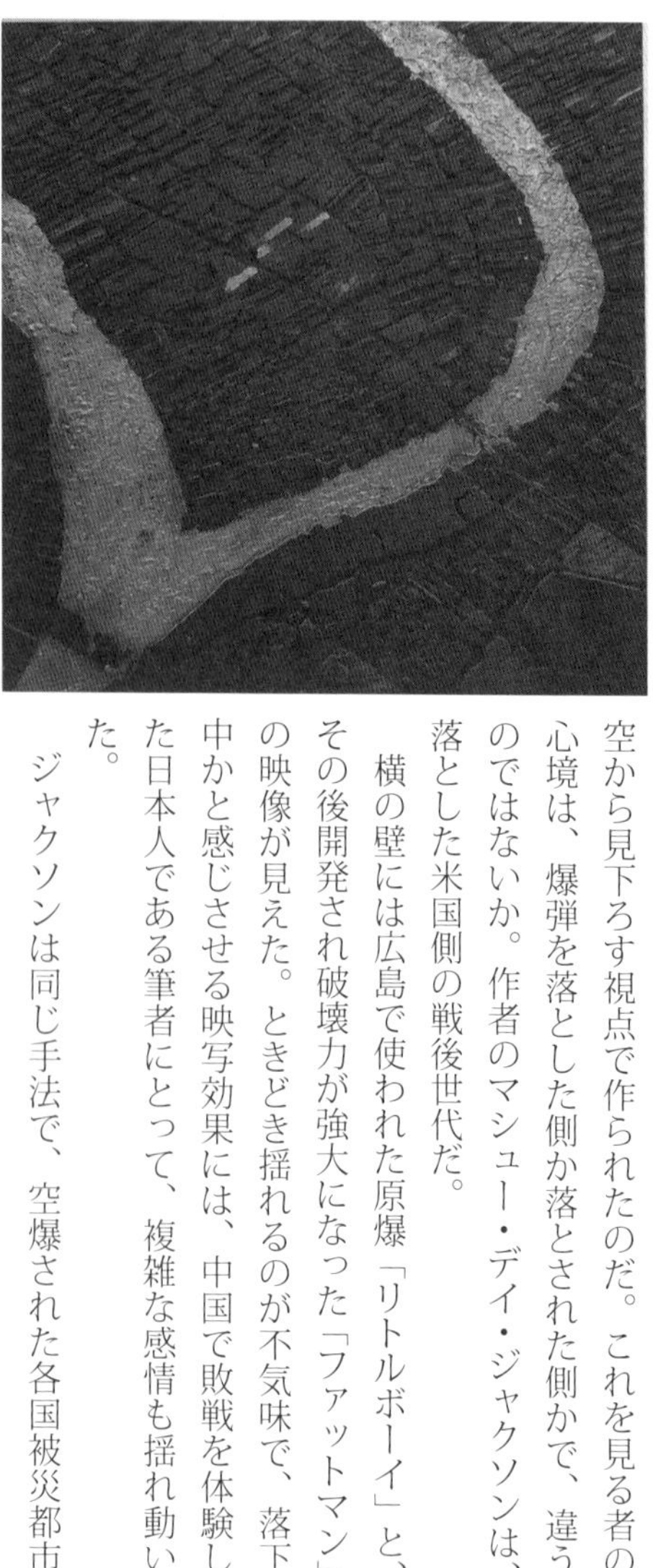

空から見下ろす視点で作られたのだ。これを見る者の心境は、爆弾を落とした側か落とされた側かで、違うのではないか。作者のマシュー・デイ・ジャクソンは、落とした米国側の戦後世代だ。

横の壁には広島で使われた原爆「リトルボーイ」と、その後開発され破壊力が強大になった「ファットマン」の映像が見えた。ときどき揺れるのが不気味で、落下中かと感じさせる映写効果には、中国で敗戦を体験した日本人である筆者にとって、複雑な感情も揺れ動いた。

ジャクソンは同じ手法で、空爆された各国被災都市

写真＝マシュー・デイ・ジャクソン「1945年8月6日」2009

の俯瞰状況を作品化してきた。これまでに広島と長崎、東京のほかドレスデン、ハンブルグ、バグダッド、パリ、ワシントンDCも作品になっている。現代では、どの都市でも同じような悲劇が起こりかねないと感じさせるシリーズだ。

松江泰治は二〇一五年、被爆後七〇年たった広島を、空から撮影した。原爆を投下した米軍機エノラ・ゲイが飛んでいた高さを意識しながら、カメラを構えたという。広島市内各地のほか、かつて軍港だった呉なども撮ったシリーズから、一三枚が出品された。その中で広島市内観光名所の一つ、比治山公園を上空から見下ろした写真の緑ゆたかな光景は、複雑な感慨を呼び起こした。

被爆当日の朝、広島市の郊外にいて異様な爆発音と閃光に驚き、状況を見るため市内へと向かった小倉豊文が比治山の西向き斜面まで来たとき「木という木はみんなその葉が赤褐色に焼け焦げている――その下の路面にも、路面につづく上や下の傾斜面にも、人がねている、うずくまっている。怪我した人が、火傷した人が、半裸の人が、全裸の人が――よく見ると熟した桃や枇杷の実をむいたように、つるりと皮膚がむけているのだ。しかも、むきかけた果物の皮のように、むけた皮膚がたらりと下にぶら下がっているのだ」と、すさまじい場面に出くわした。「死んだように動かぬ〈肉塊〉がある。縁日の見世物の〈空気獣〉のように時々にぶくうごめく〈生物〉がある。たしかに〈人間〉と一目で認識される全身血まみれの怪我人などは、ここでは影のうすい脇役的存在のようにすら思われた」(『絶後の記録』から)。

このような被爆直後の状況は、いまどれだけの人々に知られているだろう。七〇年後に松江が上空から撮った写真の右上に見えるのは、この展示会場になった広島市現代美術館だ。ここで歴史を振り返りながら松江作品を見るならば、いまは全く平穏な風景の意味が、大きく変わって来るのではないか。

展示された歴史的資料として、書籍は無かったが、雑誌は出品されていた。米国の写真週刊誌「LIFE」一九四五年八月二〇日号。広島と長崎の空を覆った二つの原子雲、原爆を落とす直前と、直後の広島を、同じ上空から撮影し分けた写真などに「日本はすみやかに降伏」との記事をつけたページが、大きく開かれた状態で。

一九四九年の外国人向けグラフ誌「HIROSHIMA」は、広島の歴史と被爆後の現状、被爆者の治療状況、市街復興の現状などを英文で報道。そこに広島の地形や外観が分かるような遠望図、俯瞰図を大きく描いてのせた吉田初三郎は、戦前から鳥瞰による観光絵図で知られており、会場には「宮島広島名所交通図絵」なども出ていた。

広島復興の中心的事業だった平和記念公園および記念館の設計者は、丹下健三だ。設計に当たって構想された全体図、公園の平面図や鳥瞰図と模型それぞれの写真の出品は、「俯瞰」という視点が不可欠な分野の好例だ。そこから今後の作家たちが美術表現を広げて行ける可能性も、考えさせられた。

風景にせよ街並みにせよ、俯瞰する場合には画面のスケールが大きくなるためか、屏風状に仕立てた作品が多い。山口晃は油絵具を使いながらも、日本画の洛中洛外図風な構成で、大画面を展開してきた。大岩オスカールは、高層ビルの林立する街景や、それが災害で崩壊したかのような状況の大画面を屏風状にしていた。

意表をついたのはタイ人のニパン・オラニウェー。大きな四角形の台を木で作り白布をかぶせ、その上をベビーパウダーで覆い尽くした。全体が真っ白に見えるのだが、平らな表面に微妙な起伏がある。広い都市景観を真上から見下ろした状態の起伏だ。それに気が付くと、一瞬、絶句してしまうほどデリケートな俯瞰造形だった。

ゆがめられた現実を凝視――第三部　ふぞろいなハーモニー

出品者の顔ぶれが、第三部は実に国際的だ。多い順に韓国五名、日本四名、中国本土二名、香港二名、台湾二名、アメリカ一名。

これらの一六人がすべて戦後生まれであることも目立つ。最年長のチェン・ジェレン（台湾）が生まれたのは一九六〇年、いちばん若いハオ・ジンバン（中国）は一九八五年だ。全員が第二次大戦を知らないのは当然だが、日本以外のアジアの国々は、大戦後もそれぞれの国内事情が厳しかった。それにこだわる人々の作品には屈折した表現が多い。

会場で最も厳しく迫ってきたのは、チェン・ジェレンの作品だ。過酷な体験がそれだけ多かった証だろう。大戦後の台湾は、共産主義政府を樹立した中国本土と対立しながら、大国アメリカによって自由主義圏内に引き込まれていた。中国からいつ攻められてもすぐ戦うための戒厳令で、住民たちの緊張が絶えなかった時代にチェン少年は育ち、ゲリラ・アートとも言える活動を通じて自由を求めた。

戒厳令が解除された後、チェンはいったん活動を止めたが、一九九六年から再開。失業者、日雇い労働者、移民らとともに無人状態の工場の占拠や、封鎖地区の密かな占領などを通じて、反体制アートを展開したのだった。政治的に迫害されながらさまよって廃墟にたどりつき、反発と諦めの間を揺れ動く人々の日常を撮り続けたビデオが、今回の出品作。七〇分余りの長尺物だ。

香港のリュン・チウーは英国の植民地だった時代の歴史、中国本土とは違うイデオロギーが根付いてからの都市空間など

写真＝チェン・ジェレン「帝国の境界Ⅱ－西方公司」2010

を、写真やビデオ、インスタレーションなどで作品にしてきた。そこにこめた感情は、異様に屈折していたのではなかったか。出品された二〇〇六年の「故事物語」は、その屈折が気の毒なほどに深い。

リュンのビデオ作品は、声を上げて本を読む日本人男性と中国人女性を別々に撮影し、同時に上映した。その本は中国の公立小学校で使われていた中国史の教科書が日本語に訳され、日本で出版されていた「中国の歴史」だ。日本人男性が読む方は表紙から中のページ全部にわたって、漢字を黒線で消し、中国人女性の方は逆に平仮名を消してあった。それでは文章として通じないため、消し残された文字だけを読む声に他人が気づいたら、正気を疑われても当然かと思われる。

韓国では、妓生（日本の芸者に近い職業）に対する差別意識がどれほど強いのだろうか。この国の女性作家サイレン・ウニョン・チョンは、実績豊かな女性歌手が元・妓生だったと世間に知れた後ひどく蔑視されたことに反発し、「私は歌わない」と題したインスタレーションを出した。大量の写真を強調したい部分だけ切り抜いて長々と貼り合わせ、映像にライヴ・パフォーマンスまで組み合わせた異色の大作だ。

同性愛に対する偏見や障碍者蔑視など、一般人の間で根強い少数派差別を批判し続けてきた米国人女性作家ウー・ツァンは、ビデオで自閉症の権利を主張した五分間、こちらをまっすぐに見つめ続けた。中国本土のハオ・ジンバンも、やはりビデオだ。社交ダンスのためホールに群がる女たちをドキュメンタリー風に撮りながら、時には踊る相手の政治的立場を探る女たちも入りこんでいることを見逃さなかった。このしぶとさは、お国柄とも見られようか。

出品者一六人中、映像利用作家が一一人。残りも写真、混合技法など。映像利用者のうち千葉正也だけは、ビデオのほかに油絵を七点出したが、会場全体で油絵はこれだけだった。この状況は、時代の風潮とも言えるのだろう。

油絵といっても、千葉は飲食物や日用品などの不条理な組み合わせと描写、不細工な人の顔やペット動物の寄せ集めなどで現代文明の歪みを明らかに批判し、時には嘲笑、罵倒まで感じさせた。絵具を塗った顔に白紙を押し付け、転写した「自画像」ではビデオ中の演技と連動しながら、絶妙な自己批判も伝えてきた。

この部門のテーマは「ふぞろいなハーモニー」だったが、どうもその意味が分かりにくい。それを田中功起は自分なりの解釈で映像化した。「一台のピアノを五人のピアニストが弾く（最初の試み）」では、同じピアノの前に五人が詰めあって並んだ。それぞれが手を伸ばし、合計五〇本の指が鍵盤の上を行き交うのだ。それを続けるうちに、どんなハーモニー、調和のとれた音楽が生まれてくるかどうかを実験していた。

「ひとつの陶器を五人の陶芸家が作る（沈黙による試み）」では、柔らかい土の塊をロクロの円盤上にのせてある。それを囲んだ五人の陶芸家たちが、手を伸ばして土に触る。ロクロの回転につれて塊の形が皿になりかけたり、壺に近づいたり、時には変な彫刻へ発展しかけたりする。各自バラバラに手を出すばかりでは、塊の形が変化しすぎて何の形にもならない。まとまった形に仕上げることは、全員の気持ちがまとまらない限り不可能なのだった。

どちらの作品も、共同作業の試みだ。そこでは、独創的な芸術家が孤独な作業を通じて生み出さない限り優れた芸術作品は生まれないと一般に考えられてきた芸術の在り方が、根本から疑われ、問い直されていた。さらに、作業メンバーの国籍が異なっていたことも重要だ。経済も文化も国際交流が進み続け、環境破壊やテロさえもグローバルに広がるばかりの昨今、何ごとも国際協調を忘れたままでは不可能だろうと、問いかけてきたのだった。

田中以外の出品者では、それぞれに波乱が収まりきっていない風土と歴史の中で、現状を批判、告発する不協和音のような表現が目立ち、会場全体は「ハーモニー」から程遠かった。それでもなお、「ふぞろいな」と断りながら「ハーモニー」を目指した主催者には、どんな意図が込められていたのだろう。

ここで、思い出さずにいられない言葉がある。「安らかにお眠り下さい　過ちは　繰り返しませんから」――これは、原爆で殺された一五万五〇〇〇人を追悼し、戦争は今後絶対に起こすまいと念願しつつ建立された「原爆慰霊碑」の碑文だ。主語の省略から誤解される可能性は消えないにせよ、その一方では、被爆七〇周年「ヒロシマ」の「三部作」に作品を迎えられた人々のすべてが、碑文の主語になれる余地もあるのだ。とりわけ第三部の韓国、中国、香港、台湾、アメリカの作家たちは、全員が「ヒロシマ」を深く理解し、ここで永遠の平和を願いつつ今後も続いて行く歴史の一コマに加わるため、出品してきたのだった。

碑文の根本的な意味は、建立の歴史的経過から考えれば「不戦の決意」であるに違いない。それも第二次大戦の加害国・被害国だけでなく、後世のすべての国々が共生して行くことを念願した表現だと、読み取らずにはいられない。

将来、被爆後の歴史を振り返る「ヒロシマ」美術展が改めて開かれるような場合、今回の「ふぞろいなハーモニー」は国際化を一層進めて、碑文の主語になれる人々をもっと幅広く迎えられるように期待したい。

（『美術フォーラム21』第三三号、二〇一六年五月刊）

あとがき

　ジャーナリストとして古今東西の美術を、私は通算四十年ほど取材してきた。朝日新聞の京都支局時代に文化全般の担当へ回されてから、美術にも関わったのが約二年。大阪本社へ転勤後、整理部を経て学芸部に移り、家庭面などの取材に数年動き回った後で美術専門担当に。それからは退職まで、ざっと十七年半。正倉院御物や高野山の秘仏などから型破りの前衛美術まで、案内記事も批評も一人で書かされまくった。「めちゃ古い値打ちものから超新しい難物まで、一人で書くのは無理でっせ」とボヤいても、鬼デスクから「記者は知らんことがあったら、知ってる人間に聞いて書けばええねん」と、ゴリ押しされて。退職後は美術評論家連盟に入会を認めてもらい、現在まで二十年あまり雑誌などに、現代美術で自分の波長にあうものを選びながら書いてきた。

　京都支局時代、取材で能狂言や新劇を観るのはおおむね午後、京都交響楽団などの演奏を聴くのは夕方から夜、美術館や画廊を視て回るのは日中から夕方にかけてが多かった。新聞の京都版に「若僧」だった私が書いたのは、催しの内容を伝える雑報ばかり。署名入りの批評は各分野の専門家に書いてもらう「依頼原稿」で、その書き手を確保し、京都版の締め切りまでに原稿を書いてもらうことも一仕事だった。

朝日新聞社は全国のサービスエリアを四つに分け東京、名古屋、大阪、西部（九州）それぞれの「本社」が一日分の新聞に「本紙」と「地方版」を合わせながら発行している。私は大阪本社（本紙は近畿、北陸、山陰、山陽、四国の十六府県共通）で一人だけの美術担当だった間、「週二回の本紙文化面へ、十六府県のどこかで開催中の目ぼしい美術展を取材して批評を書き、同じ週で文化面とは違う日に一回出る京阪神地方催し物ガイド面に、美術イベントの案内記事を書く」ことと、「本社主催の美術展特集ページを年に数回作る」ことが、定番の作業になっていた。

その頃は日本が世界第二の経済大国になり、大阪・北浜の証券会社で春に入社した社員が六月のボーナスで「百万円もらった」と噂が飛んだほど、バブル景気が真っ盛り。京阪神では画廊が増え続け、実績豊かな作家ばかりでなく無名の若手までが続々と個展を開くようになったほか、デパートと共同主催の美術展で新聞社が作品紹介のカラー特集ページを作り、その下段にデパート広告を入れることが大流行した。絶頂期には大阪朝日だけで私は年に二十回ほども美術展特集を作らされ、それが日常作業と重なって二日続いたときは、「美術記者を殺す気か」と特集の編集デスクへ怒鳴り込んだこともあった。勤務実態は、「月休二日」に近かった。美術が好きな挙句の自業自得だったかとも、今では思われる。

そんな状況が続いた大阪朝日での美術担当時代に、署名または（吉）のサイン入りで文責を明らかにしながら書いた記事と、無署名のガイド記事を合わせれば、ざっと二千本余りになる。雑誌などに頼まれることは記者時代からあった。退職後に三年ほどパリで暮らした間も日本へ送稿したり、現地で在仏日本人向けの日本語誌に書いたりした。帰国してから、部数は少ないが熱心な読者向けの雑誌などにも時々書いてきたので、通算すれば三百本くらいになる。それら全体のうち文責明らかな記事から選んだものを、今回まとめてみた。

選び出しを進めていたとき、この中の旧稿「新聞と美術批評」を入試問題に使ったという通知が、京都の花園大学（仏教系私学）から届いた。これは一九九二年の美学会全国大会シンポジウム「美術批評の現在」に、パネリストの一人として私が招かれ、ジャーナリストの立場から報告した時の記録だ。この国がバブル景気で異常な熱気に包まれていた当時と、その崩壊後ずっと続いてきた消費低迷の現在では状況が大きく変わっている。入試の拙文は、いまの受験世代に古臭いと感じられるかも知れない。しかし、この国の大衆社会と美術の在り様は当時も今も基本的に変わっていないか、または多様化しすぎて混迷の最中なのかと思われてならない。「美術と私たちの近・現代」という本書のタイトルは、そんな感じと無縁ではない。全体をまとめるに当たって自分なりに納得できるまで迷いぬいた間、辛抱強く待ち的確に助言してもらった編集者の岡田政信さんに、深くお礼申し上げたい。

これまで自分に縁がなかった部類の美と出会い、または分かったつもりでいた美の奥深さにあらためて気づいたようなとき、導いて頂いた方々の数はどれほど多いことだろう。思い起こせば、その中で真っ先に浮かんでくるのは上野照夫先生（故・京大教授＝芸術学）の面影だ。知らないことが多すぎた若僧が社会人となって仕事に就く前、温顔で言われた先生のひと言に、私は支えられ続けてきたのだった――「どんなに忙しい時でも、自分の勉強忘れたらあかんで」

令和二年三月

吉村良夫

著者略歴

吉村　良夫（よしむら　よしお）

昭和 14 年 3 月 24 日新潟県中頸城郡新井町（現•妙高市）生れ。
昭和 16 年～ 21 年満州国奉天市(現在は中国人民共和国瀋陽市)在住。
昭和 21 年 9 月に帰国。
昭和 34 年京都大学入学（文学部）
昭和 37 年～平成 6 年朝日新聞社に記者として勤務。
平成 7 年美術評論家連盟に加入。
平成 7 年～ 11 年パリ在住。
平成 12 年～ 24 年の間に数年間ずつ夙川学院短大、薫英女学院短大、大阪国際大、神戸親和女子大に勤務。

美術と私たちの近・現代

令和二年四月八日　初版一刷　発行

著　者　吉村　良夫
発行者　岡田　政信
発行所　マニュアルハウス
〒番号　九二九－一三三二
石川県羽咋郡宝達志水町北川尻七－二八
電　話　〇七六七（二八）四二五六
ファックス〇七六七（二八）四二五六
印刷所　モリモト印刷株式会社
定価はカバーに表示してあります。
ISBN978-4-905245-14-8 C0070 ¥2000E